Réalisé par Danny Boyle,
d'après un scénario de Frank Cottrell Boyce,
Millions fait l'objet d'un film distribué par Pathé.

Titre original : *Millions*

Édition originale publiée en Grande-Bretagne
par Macmillan Children's Books, Londres
© Frank Cottrell Boyce, 2004, pour le texte
Avec l'autorisation de Pathé Features Limited
© Éditions Gallimard Jeunesse, 2004, pour la traduction française
© Éditions Gallimard Jeunesse, 2009, pour la présente édition

Frank Cottrell Boyce

Millions

*une fortune tombée du ciel
et quelques jours pour la dépenser*

Traduit de l'anglais
par Pascale Houssin

GALLIMARD JEUNESSE

*Pour Joe, Aidan, Chiara,
Gabriella, Benedict, Heloise et Xavier –
mon or, mon encens et ma myrrhe*

1

Si mon frère Anthony racontait cette histoire, il commencerait par l'argent. Pour lui, tout se résume à une question d'argent. Alors ça débuterait sans doute par : « Il était une fois 229 370 petites livres sterling... » et ça finirait par : « ... Et elles vécurent heureuses jusqu'à la fin de leurs jours sur un compte bancaire à dix pour cent d'intérêt. » Mais ce n'est pas lui qui raconte. C'est moi. Et personnellement, j'aime bien commencer une histoire par le saint patron qui lui correspond. Par exemple, quand on nous a demandé de faire une rédaction sur le déménagement, j'ai écrit :

Changer de maison
par
Damian Cunningham, CM 1

Nous venons d'emménager au 7, rue Cromarty. La patronne des déménageurs est sainte Anne (1er siècle). Sainte Anne était la mère de la Vierge Marie. La Vierge Marie n'est pas vraiment morte, elle s'est envolée dans le Ciel quand elle était assez jeune. Sainte Anne a eu beaucoup de chagrin. Pour la consoler, quatre anges ont transporté sa maison au bord de la mer, en Italie, où on peut encore la voir de nos jours. En cas de déménage-ment, vous pouvez vous adresser à sainte Anne. Elle veillera à ce que tout se passe bien mais il ne faut quand même pas compter sur elle pour porter les paquets. Anne est également la patronne des mineurs, des cavaliers, des ébénistes et de la ville de Norwich. De son vivant, elle a accompli de nombreux miracles.

Le patron de cette histoire est saint François d'Assise (1181-1226), parce que pour nous comme pour lui, on peut dire que tout a commencé par un vol. Tout saint qu'il était, François a démarré en volant du tissu à son père pour le donner à un pauvre.

En fait, le véritable patron des voleurs s'appelle Dismas (I\ier siècle). Mais je ne me considère pas vraiment comme un voleur, j'ai voulu bien faire, voilà tout.

C'était notre premier jour à l'école primaire de Great Ditton. À l'entrée, il y avait un panneau qui disait : « École primaire de Great Ditton – Pour une nouvelle génération d'excellence ».

– Vous avez vu ? a dit papa en nous laissant devant la porte. Ici, il ne suffit pas d'être bon, il faut être excellent. Alors voici la recommandation du jour : « Soyez Excellents. » Quant aux consignes pour le dîner, vous les trouverez sur la porte du frigo.

En ce qui me concerne, j'essaie toujours de suivre

les recommandations de papa. Je ne pense pas qu'il s'en irait ou qu'il nous abandonnerait si on devenait un problème, mais pourquoi prendre le risque ? J'ai donc été excellent pendant la première heure. En dessin, M. Quinn nous a demandé de citer les personnes qu'on admirait particulièrement. Un énorme garçon avec plein de taches de rousseur dans le cou a cité sir Alex Ferguson et il a énuméré tous les titres que Manchester United a gagnés avec lui comme entraîneur. Là-dessus, un garçon nommé Jake a dit que les joueurs étaient plus importants que les entraîneurs et il a cité Wayne Rooney pour son sens du jeu. M. Quinn a parcouru la classe du regard. Pédagogiquement parlant, le football n'était sûrement pas le but qu'il cherchait à atteindre. J'ai levé la main. Il a interrogé une fille.

— Je connais aucun joueur de foot, moi, m'sieur !

— Je ne te demande pas forcément un joueur de foot, tu sais.

— Ah ! Alors je vois pas non plus, m'sieur.

Je me suis servi de ma seconde main pour lever l'autre encore plus haut.

— Oui, Damian, qui admires-tu ?

Dans la classe, il y avait maintenant deux clans : ceux qui étaient pour les entraîneurs et ceux qui étaient pour les joueurs.

J'ai répondu :

— Saint Roch, monsieur.

Les autres se sont tus.

– Il joue dans quelle équipe ?

– Dans aucune, monsieur. C'est un saint.

Les autres sont retournés à leur foot.

– Comme il avait attrapé la peste, il est allé se cacher dans les bois pour ne pas contaminer ses prochains. Un chien l'a suivi et c'est lui qui l'a nourri jour après jour. Ensuite, saint Roch a commencé à faire des miracles en guérissant des malades et les gens sont venus le trouver par centaines dans sa cabane au fond des bois. Il avait tellement peur de dire des bêtises qu'il n'a pas parlé durant les dix dernières années de sa vie.

– J'aimerais bien en avoir quelques-uns comme lui dans cette classe. Merci, Damian.

– Saint Roch est le patron des pestiférés, du choléra et des maladies de la peau. De son vivant, il a accompli de nombreux miracles.

– Eh bien, nous avons appris quelque chose.

Il cherchait quelqu'un d'autre à interroger, mais ça me plaisait bien d'être excellent. Catherine d'Alexandrie (IVe siècle) m'est venue à l'esprit.

– Ils voulaient lui faire épouser un roi, mais elle a dit qu'elle était déjà mariée au Christ. Alors ils ont essayé de l'écraser sous une immense roue, mais la roue a volé en éclats et tous les morceaux de bois – qui étaient très gros et très pointus – sont partis dans la foule et ont tué ou aveuglé plein de gens.

– Dommages collatéraux, hein ? C'est un peu brutal, mais je te remercie, Damian, c'est très bien.

Entre-temps, le débat joueurs contre entraîneurs s'était calmé. Tout le monde m'écoutait.

— Après ça, ils lui ont coupé la tête. Évidemment elle en est morte, mais ce n'est pas du sang qui a jailli de son cou, c'est du lait. Voilà un exemple des nombreux miracles qu'elle a accomplis.

— Merci, Damian.

— Sainte Catherine est la patronne des infirmières, des feux d'artifice, des fabricants de roues et de la ville de Dunstable (dans le Bedfordshire). On a donné son nom à une roue. C'est une vierge martyre, mais elle n'est pas la seule. Parmi les grandes saintes qui ont été martyrisées, on trouve aussi sainte Sexburge d'Ely (670-700).

Les autres se sont mis à rire. C'est le nom qui veut ça. En 670-700, il devait déjà faire rigoler tout le monde.

— Sexburge était la reine du Kent. Elle avait quatre sœurs qui sont toutes devenues saintes par la suite. Elles s'appelaient…

Avant que j'aie le temps de citer Ethelburge et Wittburge, M. Quinn m'a dit :

— Pour la deuxième fois, merci, Damian.

En fait, il m'a remercié trois fois en tout. Si ça ne s'appelle pas être excellent, je me demande bien ce que c'est.

J'ai aussi été une source d'inspiration artistique, car presque tous les garçons ont illustré les dommages collatéraux de l'exécution de sainte Catherine, avec des tas d'éclats de bois mortels qui volaient dans tous les sens et du lait qui giclait des cous. Jake a été le seul à peindre le portrait de Wayne Rooney.

Dans le réfectoire, un garçon qui prenait ses repas à la cantine s'est approché de moi avec son hamburger tout chaud et il me l'a agité sous le nez en disant :

– Sexyburger, sexyburger !

Autour de la table, tout le monde s'est mis à rire. Personnellement, ça m'a laissé profondément perplexe. Au moment où j'allais demander des explications, Anthony est venu s'asseoir à côté de moi. Du coup, ils se sont tous arrêtés net.

On a sorti nos sandwiches au jambon et à la tomate et nos deux petits paquets de Pringles. J'ai dit :

– J'ai été excellent. Et toi ?

Il a chuchoté :

– Tu en fais trop, Damian. Essaie d'être un peu plus discret. Les autres se fichent de toi.

– Ça m'est égal. La persécution, ça a du bon. Regarde Joseph de Cupertino : on s'est tellement moqué de lui qu'il a fini par léviter.

Le grand costaud avec des taches de rousseur dans le cou s'est assis en face de nous. Avec son ventre, il a soulevé la table et mon tube de Pringles a roulé vers lui. Il l'a pris et l'a ouvert.

– C'est à lui, a dit Anthony en me désignant.

– T'es qui, toi ? a demandé Cou Roux.

– Son grand frère.

– T'es pas si grand que ça. Ici, tous les Pringles sont pour moi. Règlement intérieur de l'école. (Il a craché une rafale de miettes.)

– Tu n'as pas le droit de lui prendre ses Pringles. Il n'a pas de maman.

– Comment ça, pas de maman ? Tout le monde en a une. Même ceux qu'ont pas de père ont une mère. Et puis les Pringles, c'est trop bon.

– Elle est morte, a précisé Anthony.

Cou Roux s'est arrêté de mastiquer et il m'a rendu les Pringles aussi sec. Il a dit qu'il s'appelait Barry.

– Content de te connaître, Barry.

Anthony lui a tendu la main. Il croit beaucoup aux vertus de l'amitié.

– Tu habites où ?

– De l'autre côté du pont, pas loin du supermarché ouvert vingt-quatre heures sur vingt-quatre.

– C'est un quartier très recherché, ça, a dit Anthony. Très, très recherché.

Mon frère est très, très intéressé par l'immobilier. Dans la cour de récréation, il m'a glissé :

– Ça marche à tous les coups. Tu leur dis que ta mère est morte et ils te filent des trucs.

Dans l'après-midi, je ne sais pas trop pourquoi, j'ai décidé de faire mon saint Roch. J'ai résisté à la tentation de parler pendant toute la leçon de maths : pas levé le doigt, pas récité la table de multiplication, rien, même quand M. Quinn m'a interrogé.

Quand il m'a demandé si j'allais bien, j'ai failli dire oui mais je me suis contenté de hocher la tête. Je n'ai pas participé en classe mais j'ai quand même été excellent, dans le genre discret.

J'ai continué à me taire jusqu'à notre arrivée à la maison. Papa avait collé les consignes sur la porte du frigo avec un magnet :

Mes chers fils,

Ce soir : tourte poulet-asperges. La tourte est dans le congélateur (tiroir du haut). Faites préchauffer le four à 190°. Allez regarder Des chiffres et des lettres. Quand l'émission sera finie, la température sera à point. Mettez la tourte dans le four. Enlevez vos uniformes et posez-les sur votre lit. Enfilez votre survêtement et occupez-vous de mettre les frites au four. Je serai de retour avant la fin de la cuisson.

P.

J'aime bien qu'on me dise « mon cher ».

Quand papa est rentré, on a avalé la tourte, cinq fruits et un demi-litre d'eau chacun pour hydrater nos foies. Cette opération terminée, on a fait nos devoirs et papa s'est assis avec nous. Je n'avais toujours pas dit un mot. Mais quand le téléphone a sonné, j'ai répondu sans le faire exprès. Je ne sais pas comment saint Roch a fait pour tenir bon dix ans. Remarquez, c'était forcément plus facile pour lui étant donné que le téléphone n'existait pas encore.

Quoi qu'il en soit, c'était M. Quinn. Mon maître en personne qui téléphonait à la maison ! Ce n'est pas excellent, ça ?

Plus tard, papa est venu s'asseoir au bout de mon lit et il m'a dit :

— Je te trouve bien silencieux aujourd'hui. Tu as donné ta langue au chat ?

J'ai secoué la tête.

— Il paraît que tu n'as pas ouvert la bouche à l'école non plus.

J'ai hoché la tête.

— Tu as quelque chose à me dire ?

J'ai encore fait non.

— Bon. Eh bien, bonne nuit !

Au moment où il allait fermer la porte, la tentation a finalement été plus forte que moi :

— Qu'est-ce qu'il voulait, M. Quinn ?

— Oh, discuter un peu, c'est tout. C'est lui qui m'a dit qu'on ne t'avait pas beaucoup entendu en classe.

— Pourtant il m'a remercié trois fois de suite. Ça prouve que j'ai été plutôt excellent, non ? Il ne te l'a pas dit ?

— Euh… si, si, il me l'a dit.

Il m'a ébouriffé les cheveux.

— Tu sais, un client m'a parlé d'un endroit terrible aujourd'hui, ça s'appelle le Snowdrome. On peut y faire de la luge ou du ski. Ça te dirait d'y aller ?

Je ne savais pas trop.

— À titre de récompense. Pour avoir été excellent.

— Alors, O.K.

— Bon ! Demain, je passerai vous chercher après l'école et on ira directement.

Le Snowdrome, c'est vraiment top. À l'intérieur, il y a de la vraie neige, fabriquée à partir de vrais cristaux de glace par une grosse soufflerie. À l'entrée, on vous prête une combinaison de ski. Nous on a préféré la luge. On n'était pas censé monter à deux dessus, mais Anthony a expliqué à l'employé que notre maman était morte et il nous a laissés faire. On a fait deux descentes ensemble, une sur le ventre et trois à l'envers.

Le lendemain matin à l'école, tout le monde a voulu savoir comment c'était. Je leur ai expliqué le fonctionnement du canon à neige et je me suis lancé dans une démonstration de luge à l'envers, mais je me suis cogné dans M. Quinn juste au moment où il passait la porte. Il a crié :

— Eh ! Attention !

Et il a fait tomber toutes nos copies par terre.

Je l'ai aidé à les ramasser et j'ai aperçu la mienne (la rédaction sur sainte Anne). Il y avait un mot glissé à l'intérieur. M. Quinn l'a retiré, l'a mis dans sa poche et il m'a rendu mon devoir en disant :

— À quoi tu joues, mon garçon ?

— Au Snowdrome, monsieur. On y a été hier. C'était bien.

Il a eu l'air tout content.

— Tu pourrais choisir ça comme sujet de rédaction, aujourd'hui. Décrire comment c'était et combien tu t'es amusé, tout ça. Je parie qu'il n'y a pas de saint patron des Snowdromes !

Le super Snowdrome
par
Damian Cunningham, classe de M. Quinn

Le Snowdrome, c'est trop bien. On y fait de la luge ou du patin. La patronne des patineurs s'appelle Ludivine (vierge martyre, 1380–1433). Elle a été blessée dans un accident de patin et a passé le restant de sa vie au lit. Elle a supporté cette épreuve avec une patience infinie et a accompli plusieurs prodiges : par exemple, ne rien manger à part des hosties pendant sept ans. Si vous voulez en savoir plus sur elle, allez sur : www.complete-mentsaints.com/ludivine.html

En fait, il y a toujours un patron de quelque chose. Comme me l'a dit un jour sainte Claire d'Assise (1194-1253) : « Les saints, c'est comme les chaînes de télévision. On peut les capter n'importe où, il suffit d'avoir une antenne. »

2

Anthony n'arrive pas à croire que j'aie pu aller aussi loin dans cette histoire sans mentionner l'Union monétaire européenne.

L'Union monétaire européenne
par
Anthony Cunningham, CM 2

Ce sont les Chinois qui ont inventé la monnaie en 1100 av. J.-C. Avant, les marchands chinois faisaient du troc avec des couteaux et des lances. Comme c'était trop lourd à porter, ils en ont fait des modèles réduits en bronze et c'est ainsi que sont nées les premières pièces. Plus tard, tous les pays ont eu leur propre monnaie. Rien qu'en Europe, on trouve le robuste deutsch-mark allemand, l'extravagante lire italienne, l'élégant franc français et, bien sûr, la magnifique livre sterling en Grande-Bretagne. La livre date de 1489. À l'époque, on l'appelait le souverain. Le 17 décembre prochain, elle sera remplacée par l'euro.

Quand on dépose ses vieilles livres à la banque, ils les mettent dans un train spécial pour les transporter dans un endroit secret où elles seront détruites. Le lendemain matin, le train revient avec la nouvelle monnaie. Ce qui fait que, aujourd'hui, presque tout l'argent d'Angleterre se promène en train.

Un bon conseil : triez vos vieilles pièces et mettez-les dans des pots de confiture (un pour les pièces de cinq pence, un pour celles de dix, un pour celles de vingt, etc.). Une fois que vos bocaux seront pleins, apportez-les à la banque pour les échanger contre des euros. Le 17 décembre, c'est le Jour €. Ce jour-là, on pourra dire ADIEU à notre bonne vieille livre.

Il ne se passait pratiquement pas de jour sans qu'Anthony fasse ses adieux à la livre. Dès la sortie de l'école, il se mettait à courir comme un fou jusqu'à la passerelle et là, il attendait qu'un train passe dans un grand bruit de ferraille et il agitait la main en hurlant comme un acteur l'aurait fait dans un film :

— Au revoir, vieilles livres, au revoir ! jusqu'à ce que le train disparaisse au loin.

À l'entendre, on aurait dit que chaque billet de dix livres était un copain. Parfois, j'avais l'impression qu'il allait se mettre à pleurer. Il soupirait :

— Tu te rends compte, cinq cents ans d'histoire qui vont partir en fumée.

Certains jours, il avait l'air tout content. Il me disait :

— Tu te rends compte, à partir de Noël on paiera partout avec la même monnaie, de Galway jusqu'en Grèce.

Le soir, avant d'aller au lit, on glissait tous les trois nos petites pièces dans une grande bouteille de whisky, au pied de l'escalier. En montant se coucher, Anthony avait presque la larme à l'œil quand il lâchait ses pièces de cinq pence dans la bouteille. En descendant prendre son petit déjeuner, il la secouait au passage en criant gaiement :

— Incroyable comme ça monte vite !

Personnellement, je me dis : « Et alors ? L'argent est une chose comme une autre. Et les choses changent. C'est ce que j'ai découvert il n'y a pas si longtemps. À un moment donné, il y a quelque chose qui est là, bien là, tout près de toi, et tu peux te blottir contre elle. L'instant d'après, plus rien. Ça a disparu, fondu comme un Malteser. »

3

Changer de maison
par
Anthony Cunningham, CM 2

Nous venons d'emménager au 7 rue Cromarty, une maison tout confort avec trois chambres sans vis-à-vis. Elle a coûté cent quatre-vingt mille livres sterling mais c'est un investissement sûr et sa valeur ne peut qu'augmenter ! Elle est équipée de panneaux solaires sur le toit et d'un système de chauffage central à la fois économique et performant. Elle possède deux salles de bains, dont une attenante à la chambre principale. Un vaste jardin à l'arrière comme sur le devant complète le tout. Cette propriété de conception moderne, située dans un quartier résidentiel, s'inscrit dans un cadre semi-champêtre. J'ai enfin une chambre pour moi tout seul. Pour les murs, j'ai choisi un papier peint avec des joueurs de foot.

Architecturalement parlant, la nouvelle maison m'a déçu. Je me souviens de la rue Cromarty à l'époque des ficelles. Papa nous avait emmenés dans un grand champ plein de ronces et d'orties, pas loin de la voie ferrée. Un homme en chemise à carreaux nous a conduits vers un endroit entièrement défriché. Au sol, il y avait plein de ficelles qui s'entrecroisaient comme des avenues. Le type a sorti son plan et il en a montré une du doigt en disant : « Dogger. » Ensuite, il a marché jusqu'au coin suivant en disant : « Finisterre. » Et puis il en a indiqué une autre sur la gauche en disant : « Cromarty. »

– Qu'est-ce que vous en pensez ? a demandé papa. Ça vous plairait de venir habiter ici ?

– Oh, oui ! j'ai crié avec un bel enthousiasme.

Et c'est ce qu'on a fait.

Malheureusement, mon bel enthousiasme reposait sur un malentendu. J'ai cru qu'il nous proposait de vivre en plein champ, au milieu des ficelles. De nombreux saints ont habité dans des endroits bizarres. Sainte Ursule (IVe siècle) a vécu sur un bateau avec onze mille compagnons. Pour fuir les tentations du monde, saint Siméon (390-459) s'est installé sur une colonne de trois mètres de haut. Quand les touristes ont commencé à affluer pour le voir, il s'est perché sur une colonne de dix mètres pour ne plus les entendre. Et quand ils se sont mis à hurler (en 449), il a déménagé sur une colonne de vingt mètres de haut et a passé la fin de ses jours à méditer tranquillement là-haut.

En comparaison, il m'a paru tout à fait raisonnable et agréable de vivre dans un champ plein de ronces et de ficelles. J'avais hâte d'y être. Mais quand ... revenu, toutes les ronces avaient disparu. Il y ava... un panneau qui annonçait : « Les Prairies de Port-land – le charme discret d'un nouveau modernisme » et quatre rangées de maisons avec des toits très poin-tus et des fenêtres avec de drôles de formes. Au n° 7 de la rue Cromarty, il y avait un pavillon avec un vaste jardin devant comme derrière et des panneaux solaires. Anthony a dit :

– Les maisons individuelles ne perdent jamais de leur valeur et la configuration à trois chambres répond aux exigences de la majorité des acheteurs poten-tiels.

Comparée à un bateau chargé de onze mille passa-gers ou à une colonne de vingt mètres de haut, notre maison ne m'a pas paru très appropriée, question sainteté. Alors je me suis construit un ermitage.

Papa avait décidé de se débarrasser de nos vieux cartons. En les ouvrant, on a retrouvé des tas de trucs qu'on avait oubliés depuis longtemps. Il y en avait un rempli de vases. Un autre plein de draps et de couvertures. Un autre avec des décorations de Noël et un circuit de Micro Machines (on l'a installé dans le débarras). Je suis tombé sur celui qui contenait les robes et le maquillage de maman.

Une fois les cartons vidés, je les ai transportés près de la voie ferrée, je les ai emboîtés les uns dans les autres et hop, j'avais mon ermitage. Ça faisait comme

…les petits rabats pour regarder dehors.
…n passait, tout se mettait à trembler.
…agons éclairaient l'intérieur pendant
…ondes. Comme le jardin était séparé de
…e par des buissons de houx, mon ermitage
étai… …ue invisible de la maison. J'ai emporté des
affaires là-bas. Mon marque-page saint François
et un tube de crème teintée hydratante que j'avais
trouvé quelque part. Mais pas grand-chose de plus
– l'essentiel étant de vivre très modestement. Pas à
plein-temps évidemment, à cause de l'école. Mais
dans la mesure du possible. Je me piquais un peu en
traversant les buissons de houx, mais ça tombait
bien puisque c'est bon de souffrir (on appelle ça la
mortification).

L'idée de l'ermitage m'est venue grâce à Rose de
Lima (1586-1617). Toute petite, déjà, elle vivait
retirée au fond du jardin de ses parents. Elle a eu
plein d'apparitions merveilleuses. Entre autres, celle
de la Sainte Vierge et du Saint-Esprit – sans compter
la visite de nombreux autres saints. Personnellement
je n'ai encore jamais eu d'apparitions, même en restant des heures à grelotter dans le froid.

Je suis allé sur Google, histoire de comprendre
pourquoi ça ne marchait pas avec moi. La réponse
m'a paru évidente : pas assez de mortification. Les
gens comme Rose de Lima ne se contentaient pas de
vivre en ermites. Ils jeûnaient pendant des semaines,

ils marchaient pieds nus à tout bout de champ, ils portaient des vêtements très inconfortables. Ils se flagellaient.

D'un point de vue pratique, certaines formes de mortification sont carrément impossibles. Par exemple, comment voulez-vous jeûner pendant sept ans avec un père qui vous oblige à manger cinq fruits par jour ? Quant à la flagellation, on ne peut pas dire que ce soit le style des Prairies de Portland. Mais ce soir-là, j'ai quand même dormi à la dure sur le plancher. J'ai attendu que papa ait éteint les lumières, je suis descendu de mon lit et je me suis couché sous la fenêtre. J'étais très mal mais c'était justement l'intérêt de la chose. En allant à l'école le lendemain matin, j'ai laissé Anthony partir devant moi et j'ai enlevé mes chaussures. Tant qu'on a marché à travers champs, ça a été (à part mes chaussettes qui étaient trempées). Mais le chemin qui mène à la route est couvert de petits gravillons. À mon avis, les entrepreneurs du coin ont dû engager quelqu'un pour les tailler exprès en pointe avant de les répandre par terre. Comme mortification de la chair, c'était très réussi. Il a fallu que je résiste très fort à la tentation de marcher sur l'herbe du bas-côté. Après ça, la route m'a paru facile.

J'ai croisé M. Quinn à l'entrée de l'école. Il a tout de suite remarqué mes pieds et il m'a dit :

– Un problème de chaussures, Damian ?

J'ai répondu :

– Non, monsieur. Je fais pénitence.

Je crois qu'il a été impressionné.

Pendant l'heure de maths, Jake m'a tapé sur l'épaule et il a fait :

– Aïe !

– Jake, à quoi joues-tu ? Tu es sûr d'être en train de faire tes exercices, là ?

– Je voulais juste lui emprunter sa règle, m'sieur, mais il pique !

– Comment ça ?

Tous les visages se sont tournés vers moi.

– Je me suis fait mal en touchant l'épaule de Damian, m'sieur, a expliqué Jake.

M. Quinn s'est approché et il a posé la main sur mon épaule. Après quoi il s'est penché sur moi et m'a demandé à voix basse de le suivre. Et il a ajouté à voix haute :

– Continuez à travailler, vous autres !

Une fois dans le couloir, il m'a fait enlever ma chemise pour voir ce qu'il y avait dessous.

Sur completementsaints.com, ils disent que Matt Talbot portait des chaînes en permanence. Comme je n'ai pas pu trouver de chaînes, j'ai bourré ma chemise avec le houx de l'ermitage.

– Qui a fait ça ?

– Moi, monsieur.

– Tu es tout éraflé. Enlève-moi tout ça, je vais aller chercher de quoi te soigner.

En me mettant les pansements, il a dit :

– Tu viendras me voir à la sortie. Je te remettrai une lettre pour ton père. Il n'y a pas de problème mais c'est important. D'accord ?

C'était une enveloppe marron assez épaisse. Papa l'a ouverte immédiatement. Il a lu la lettre, puis il l'a mise dans sa poche. Anthony a dit :

– Qu'est-ce que c'est ? Ils vont faire une sortie ?

– Non, a répondu papa. Enfin si. Peut-être. Dans un sens. Plus ou moins. Allez vous laver les mains.

C'était à moi de faire la vaisselle et à mon frère de l'essuyer. Papa était censé s'occuper du sol, mais quand je suis revenu dans la salle à manger pour voir si on n'avait pas oublié un plat ou autre chose, il était en train de relire la lettre. Il l'a rangée dès qu'il m'a vu, mais j'ai eu le temps d'apercevoir une page jaune où il y avait écrit « Évaluation spéciale ». Je me suis dit que c'était sûrement bon signe.

Papa a dû se coucher tard hier soir, parce que je me suis endormi dans mon lit avant qu'il monte se brosser les dents. Au milieu de la nuit, je me suis réveillé à cause d'un rêve (je ne tiens pas à en parler) et je me suis levé pour aller m'allonger sous la fenêtre. Il faisait vraiment froid après la chaleur du lit. Impossible de me rendormir. Tout à coup, j'ai réalisé qu'il y avait quelqu'un dans l'encadrement de la porte. « Enfin une vision », je me suis dit. Mais quand ça s'est rapproché, j'ai compris que c'était seulement papa. Il s'est penché et il m'a soulevé en murmurant :

— Chuuut, Damian, tu es tombé du lit, je vais te recoucher, dors.

Je n'avais pas envie de lui dire que j'étais réveillé. Je me suis tourné face au mur pour qu'il ne voie pas mon visage. Je m'attendais à ce qu'il s'en aille, mais non. Il est resté assis un moment au bord du lit. Puis il a baissé le col de mon pyjama jusqu'aux épaules. Il a examiné les éraflures. Finalement, il s'est levé. Alors j'ai chuchoté :

— Ça va, papa ?

— Tu ne dors pas ?

— Non.

— Il faut dormir, Damian.

— D'accord.

— Damian ?

— Hmmm.

— Qu'est-ce qui est arrivé à ton dos ?

— Oh rien, c'est à cause du houx.

— Damian, pas de bêtises, d'accord ? Sois gentil.

— J'essaie, papa. Je fais de mon mieux.

— Je sais, fiston, je sais.

Et il est parti. Au bout d'un moment, j'ai entendu la chasse d'eau. Alors je me suis recouché par terre.

4

Ce n'est pas si facile que ça d'être gentil. Prenons lundi, par exemple. Papa venait de partir au travail et on a entendu sonner à la porte d'entrée. Or on n'est pas censé ouvrir quand papa n'est pas là. D'un autre côté, c'était l'heure de partir à l'école. Grave dilemme : aller ouvrir (donc désobéir) et arriver à l'heure à l'école (bien), ou ne pas ouvrir (bien) et arriver en retard (mal) ?

Anthony ne réfléchit pas à ce genre de chose. Tout en enfilant sa veste, il s'est dirigé vers la porte. Je l'ai arrêté.

— Papa ne veut pas qu'on ouvre.

— Il est vingt, on va être en retard.

Celui qui était derrière la porte a appuyé une nouvelle fois sur la sonnette.

— Mais papa a dit non !

Maintenant je criais. Pour moi c'était la panique.

— Papa ne veut pas qu'on ouvre et on doit lui obéir !

Anthony a inspiré profondément et il a dit :

– O.K. Voilà ce qu'on va faire. Prends ton sac. On part à l'école. S'il y a quelqu'un dehors, on n'y peut rien, c'est une simple coïncidence. On n'ouvre pas la porte à quelqu'un, on sort pour aller à l'école. Ça te va ?

– Oui.

Quand il veut, Anthony est très fort pour régler les dilemmes.

La simple coïncidence se présentait sous la forme d'un homme en chemise blanche avec une cravate *South Park* et un badge en plastique où il y avait écrit « Terry IT ».

– J'habite là-bas, il a dit en désignant le virage.

Anthony a jeté un œil à la maison en question.

– Le fait d'être situé à l'angle vous donne un plus grand terrain, ce qui est un avantage. D'un autre côté, vous ne pouvez pas vous garer le long du trottoir. Compte tenu de l'état actuel du marché l'immobilier, c'est un grave inconvénient.

– Votre père est là ?

– Non, parti au boulot.

– Et votre mère ?

– Elle est morte.

– Oh !

Il a mis les mains dans ses poches, comme s'il cherchait un truc à nous donner. Anthony l'a regardé faire avec espoir, mais visiblement Terry n'a rien trouvé.

– Est-ce que je peux vous confier un message pour votre père ?

– Pas de problème.

– Je n'ai pas encore eu l'occasion de le rencontrer. En général, je pars travailler avant tout le monde. Mais dites-lui que s'il veut passer ce soir vers sept heures, ce serait sympa. La plupart des autres seront là.

– Est-ce qu'on peut venir, nous aussi ?

– Ouais, bien sûr. Tiens, regardez ça.

Il a tripoté sa cravate et elle s'est mise à jouer l'air de *South Park*. Plutôt surprenant.

– Mais qui c'est, ce Terry, bon sang ?

Papa commençait à s'énerver.

– Terry IT, de l'autre côté de la rue. Il a dit de venir vers sept heures.

– Pour quoi faire ? Dîner ? Prendre l'apéritif ? Jouer au Monopoly ? L'aider à déplacer une armoire ?

– Il a une cravate qui fait de la musique et il a dit que ce serait sympa. À notre avis, c'est une fête.

– Genre rencontre-amicale-entre-voisins.

– Bon. Quelle heure est-il ? Il faut que je file acheter une bouteille.

– Pas la peine, on a préparé un gâteau.

– Ça m'étonne de vous.

– Dans le bon sens ou dans le mauvais sens ?

– Dans le bon sens. Je trouve que c'est une excellente initiative.

C'est moi qui ai eu l'idée du gâteau. En rentrant de l'école, j'ai dit à Anthony :

– Voilà l'occasion de nous montrer excellents. Si on faisait un gâteau ?

Il n'était pas d'accord, sous prétexte qu'on ne savait pas comment faire. Mais je me suis rappelé qu'on faisait souvent des gâteaux, dans le temps. C'est un de mes souvenirs les plus précis. Il m'arrive même d'en rêver. J'ai dit :

– Fais chauffer le four à 200°, et on a commencé à s'activer.

On a mis cent dix grammes de farine, cinquante grammes de margarine, deux tasses d'eau et une pincée de sel, on a tout mélangé, on a laissé reposer vingt minutes au frigo et on s'est arrêté là. À propos, la patronne des boulangers, c'est sainte Agathe de Catane (environ 250 ap. J.-C.).

Papa a sorti le plat du frigo en disant :

– C'est très bien mais ce n'est pas un gâteau. C'est de la pâte.

Dans ma mémoire, j'avais dû confondre pâte et gâteaux. C'est triste de constater qu'on peut perdre une partie de ses plus beaux souvenirs. Triste et inquiétant.

Pour prendre les choses du bon côté, disons que la pâte offre beaucoup plus de possibilités qu'un gâteau parce qu'on peut en faire une tarte.

On a pris les pommes qu'on était censé manger à la fin du dîner, on les a épluchées, sucrées, étalées en éventail, on a mis le tout au four et on est allé se laver les mains.

L'odeur des pommes en train de cuire s'est répandue dans toute la maison. On s'est assis en haut de l'escalier, rien que pour le plaisir de la sentir, pendant que papa s'occupait de trouver nos habits du dimanche. Par chance, on les avait mis la veille et ils n'étaient pas encore au sale. Papa leur a donné un petit coup d'éponge et un petit coup de fer. Ensuite, il m'a passé un petit coup de peigne, puis il s'est reculé. Il nous a regardés tous les deux en disant :

– Parfait. Excellent. En route pour la fête !

– On ne pourrait pas manger un morceau de tarte avant d'y aller ? Ou une tartine, un toast, n'importe quoi ? On meurt de faim !

– La faim est la meilleure des sauces. Il y aura de quoi manger là-bas.

J'ai traversé la rue avec la tarte encore toute chaude. Terry nous a fait signe d'entrer et il me l'a prise des mains. Papa a dit :

– J'ai beaucoup entendu parler de votre cravate.

Terry a déclenché la musique. Ça nous a tous fait rire, mais la musique a duré plus longtemps que nos rires et on est resté planté à écouter la cravate jusqu'au bout. Quand elle s'est enfin arrêtée, Terry s'est écrié :

– *That's all folks !* Venez, les autres sont dans le salon.

Les autres, c'était trois hommes en chemise blanche, impeccables, et un type chauve assez délabré, avec un vieux costume. Ils étaient assis en cercle et ils tenaient des bouts de papier. Il n'y avait rien à manger et la tarte n'était pas là non plus.

Le type en costume a serré la main de papa.

– Bienvenue à la brigade de surveillance des Prairies de Portland. Je suis Eddie, l'officier de police municipale. Pour le moment, on ne peut pas vraiment parler de commune, mais vous voyez ce que je veux dire. N'hésitez pas à venir me trouver si vous avez besoin de moi – que ce soit pour un conseil, de l'aide ou juste une tasse de café.

Papa s'est assis et nous aussi, chacun d'un côté.

– Je vais être franc avec vous, a repris Eddie. Noël approche, ces maisons sont toutes neuves : statistiquement, vous allez y passer. Le jour où ça arrivera, passez-moi un coup de fil. Je vous donnerai un numéro de sinistre, vous vous adresserez ensuite à votre assurance.

Et il a distribué des petites cartes de visite avec son numéro de téléphone dessus.

Anthony m'a donné un coup de coude en me montrant son ventre, puis sa tête, et il a fait les ciseaux avec ses doigts. Ça voulait dire « mon ventre doit croire qu'on m'a tranché la gorge ». Pour moi c'était clair parce que j'éprouvais exactement la même chose. Et le pire, c'est qu'on continuait à sentir l'odeur de notre tarte aux pommes restée toute seule dans la cuisine.

Terry s'est penché en avant. Anthony et moi, on

s'est dit ça y est, et on a fait pareil. Mais au lieu de nous proposer quelque chose à manger, il a embrayé sur sa chaîne stéréo.

— Ce petit bijou m'a coûté pas loin de trois mille livres.

Il a montré du doigt un embrouillamini de fils et de câbles qui rampaient le long des murs comme des spaghettis géants.

— C'est moi qui ai fait l'installation. Ça m'a pris un temps fou. J'ai acheté tous les éléments séparément. Avant de me décider, j'ai prospecté dans tous les magasins du coin pour ne pas me faire avoir sur les prix. Cette chaîne, j'y tiens comme à la prunelle de mes yeux. Je ne sais pas ce que je ferais si on me la piquait. J'aurais l'impression de perdre une partie de moi-même. Ce serait comme une amputation. Pareil pour mon ordinateur. Là-dedans, on peut dire qu'il y a toute ma mémoire, toute mon âme. Si jamais on me l'enlevait, ce serait une perte atroce, un véritable deuil. Tout ça fait partie de moi, ce sont mes biens *personnels*.

Pas un mot sur les biens *comestibles*.

— Pourquoi ne pas acheter une alarme ou un chien ? a suggéré le policier municipal. Si vous leur compliquez la tâche, ils vont voir plus loin. En l'occurrence, chez votre voisin. Enfin je ne sais pas, aux yeux des autres, ça peut paraître antisocial.

— Ouais, mais j'ai travaillé dur pour avoir tout ça, vous savez. Cette maison, c'est moi. Si je pouvais…

Un des jeunes gars en chemise blanche s'est penché en avant.

— Le véritable problème, c'est que nos maisons sont construites sur du sable.

Papa a réagi *illico*.

— Comment ça, sur du sable ? Non, c'est une blague. Impossible ! D'ailleurs j'étais là quand ils ont commencé à creuser les fondations.

— Je crois qu'il s'agit d'une métaphore, a dit le policier. C'est dans la Bible, pas vrai ? « Ne bâtissez pas vos maisons sur du sable, ne mettez pas votre lampe sous le boisseau », etc.

— Exact, a dit le plus impeccable des autres. Matthieu, chapitre VII, verset 26.

— Excusez-moi une seconde, est-ce que vous avez branché la bouilloire ? a demandé le policier.

Terry s'est rendu dans la cuisine.

Pendant son absence, l'agent a dit aux trois impeccables :

— Laissez-moi deviner... À vue de nez, vous êtes mormons, pas vrai ?

— Saints des Derniers Jours, a rectifié l'un d'eux. On nous qualifie généralement de mormons, mais nous préférons « Saints des Derniers Jours ». Mon nom est Élie. Et voici Amos et John.

Ça m'a drôlement excité.

— Vous êtes des saints !

— Des derniers jours.

— Mais saints quand même.

L'agent municipal s'est mis à farfouiller dans ses papiers et il a demandé s'il y avait des questions.

J'ai levé le doigt.

— C'est quoi, exactement, une vierge martyre ?

Papa a toussé et a dit :

— Ils étudient ça en classe. Damian, si tu allais donner un coup de main à Terry, hein ? Toi aussi, Anthony.

Dans la cuisine, Terry était en train de mettre une cuillerée de café instantané dans une tasse. Une seule tasse. Notre tarte aux pommes était là. On avait mis de la cannelle et des raisins secs dessus. Elle sentait bon Noël et l'été. Elle était toute seule dans son coin. Sans personne pour s'occuper d'elle ou l'emmener quelque part.

— Papa nous a dit de venir vous aider.

— Bah, c'est juste un café. Il n'y a rien à faire.

Et c'était vrai : il n'y avait rien d'autre à part cette tasse de café. Mon ventre s'est mis à faire du bruit, comme s'il avait tout entendu.

— Si vous voulez vous rendre utiles, allez donc demander au flic s'il prend du sucre.

Anthony n'a pas bougé.

— On vous a dit que notre maman était morte ?

— Oui, oui, tu me l'as déjà dit.

Cette fois, il est allé ouvrir un placard bourré de paquets de chips. Il a fouillé dans le tas et a fini par sortir deux Kinder Bueno. Il nous les a tendus en disant :

— Tenez, prenez ça. Gardez-les pour chez vous. Je ne veux pas de miettes sur ma moquette.

Sur le chemin du retour, Anthony m'a brandi son Kinder Bueno sous le nez.

— T'as vu ? Je te l'avais dit, ça marche à tous les coups !

— Tu es sûr que c'est complètement honnête ?

— Elle est complètement morte, non ?

Ça, je le savais déjà. Mais, biologiquement parlant, on ne me l'avait jamais dit aussi clairement.

Papa nous a rattrapés.

— Vous avez été parfaits, tous les deux. On va aller chercher des plats chez le Chinois, vous choisirez ce que vous voudrez !

Anthony avait envie de prendre des nems et du poulet aux pousses de bambou. Moi, je ne sais pas pourquoi, je n'avais pas faim. Même quand on est entré dans le restaurant et que papa m'a montré le menu, rien ne m'a tenté. Je n'avais plus d'appétit.

Une fois rentrés à la maison, papa et Anthony ont commencé à piocher directement dans la barquette en polystyrène. Je suis allé chercher des assiettes et des couverts.

— Ne te fatigue pas, Damian, il est tard. Ça nous évitera de faire la vaisselle. Tiens, prends un peu de riz.

J'ai continué à mettre la table.

– Damian…

– Il faut faire les choses correctement. C'est essentiel.

– Comment ça ?

– C'est essentiel de faire les choses dans les règles. D'être excellent en tout. C'est toi qui l'as dit. Et voilà que tu manges directement dans la barquette. On n'a jamais fait ça ! (Je ne m'en rendais pas compte mais je hurlais.) Asseyez-vous à table !

Papa a essayé de me calmer :

– Damian, tu es sûrement de mauvaise humeur parce que tu as faim, c'est tout.

– Non, je n'ai pas faim. Je veux juste qu'on se mette à table comme des gens bien élevés. Et qu'on fasse les choses comme il faut.

– D'accord. À condition que tu manges un peu, comme chez les gens bien élevés.

– O.K.

Papa s'est assis à table et il m'a donné une partie de son bœuf à la setchouanaise.

– Tu ne peux pas te conduire normalement ? m'a dit Anthony.

– Les choses ne sont pas normales, a répondu papa. Alors comment pourrions-nous nous comporter normalement, hein ?

Il a pris un nem dans l'assiette d'Anthony pour me le donner. C'était dégoûtant. À l'intérieur, ils avaient mis du chou à la place du soja. Mais je me suis quand même senti un peu mieux.

Si j'ai si mal dormi, je pense que c'est à cause du nem. Je n'ai pas arrêté de me réveiller à cause de ces rêves (dont je ne tiens pas à parler). Je suis même retourné dans mon lit au bout d'un moment pour voir si un peu de confort arrangerait les choses. Mais non. Dès qu'il a commencé à faire jour, j'ai filé en douce vers mon ermitage.

Il y avait quelqu'un à l'intérieur. Une femme. Grande, très maigre, avec des yeux très bleus. Je l'ai tout de suite reconnue. J'ai dit :

– Sainte Claire d'Assise (1194-1253).

Elle m'a souri et elle a dit :

– Exact.

Elle a regardé autour d'elle.

– J'aime bien les ermitages. J'en ai eu un, autrefois.

– Je sais.

– J'allais souvent m'y cacher. Quand quelqu'un avait besoin de moi, je lui envoyais une vision. Histoire de régler son problème.

– J'aimerais bien faire pareil. Je pourrais rester ici et envoyer une vision de moi-même à l'école.

– Cette faculté n'est pas donnée à tout le monde. J'étais quelqu'un d'assez exceptionnel. Une sorte de télévision humaine. Voilà pourquoi je suis devenue la patronne de la télé. Je ne sais pas si c'est un bien ou un mal, d'ailleurs. Ils passent vraiment n'importe quoi maintenant. Remarque, plus rien ne me choque. Mais ça me demande pas mal de boulot. Voilà pourquoi j'aime bien la paix des ermitages.

– J'ai choisi cet endroit car notre maison me paraissait un peu inadaptée, si vous voyez ce que je veux dire. Comparée à la colonne de saint Siméon ou à sainte Ursule et ses onze mille saints compagnons.

Claire a grogné.

– Ces onze mille compagnons, c'est une erreur de traduction. Je ne veux surtout pas que ça t'empêche de dormir, mais en vérité ils n'étaient que onze.

– Mais là-haut, il y a bien des milliers de gens avec vous ?

– Des dizaines de milliers. Des douzaines de milliers. Des centaines de milliers. Des millions, quoi.

– Je me demandais… vous n'auriez pas croisé une sainte Maureen, par hasard ?

Elle a réfléchi un moment. Mais la réponse a été non. Et puis comme elle dit, là-haut, c'est l'infini.

– L'infini absolu. « Dans la maison de mon Père, il y a de nombreuses demeures. » Jean, chapitre XIV.

– Verset 2, j'ai dit.

– Exact.

Et elle a disparu.

Si j'avais eu le choix, je n'aurais pas pris sainte Claire comme première apparition. Mais il faut reconnaître que c'est une bonne sainte et que sa conversation est enrichissante. De toute façon, toutes les apparitions ont leur intérêt. Donc, philosophiquement parlant, ça m'a fait plaisir.

5

Ce qui a beaucoup changé pour les femmes depuis le Moyen Âge, c'est les soins du visage. Sainte Claire avait la peau très sèche, avec plein de petites veines rouges sur les joues. Maman se mettait toujours une crème teintée hydratante, qui nourrissait sa peau tout en lui assurant une bonne base de maquillage. Elle travaillait sur le stand Clinique des grands magasins Kendal, à Manchester. Avoir l'air plus belle qu'une mère normale, ça faisait partie de son travail. Elle venait toujours nous chercher à la sortie de l'école. Une fois chez nous, elle enlevait son maquillage avec du coton. Elle appelait ça « s'éplucher le visage ». Un jour, on ne l'a pas vue à l'heure de la sortie. On a attendu, attendu, et Mme Deus, la secrétaire, a téléphoné à une mère normale qui nous a ramenés chez elle. Au bout d'un moment, papa est venu nous chercher. Il s'est confondu en remerciements et il a ajouté :

– Elle est dans le meilleur endroit qui soit.

Avec papa, on est allé au meilleur-endroit-qui-soit et, franchement, je ne vois pas ce qu'il y avait de bien à être là. Maman n'avait pas le droit de sortir de son lit. La télé était branchée en permanence et tout le monde avait l'air triste. Maman est restée là-bas pendant des semaines et des semaines, et elle avait l'air de plus en plus malheureuse chaque fois qu'on la voyait. Sa peau était devenue grise et sèche, comme celle de sainte Claire. Elle avait les mêmes petites veines rouges sur les joues.

En fait, c'est à ce moment-là que j'ai commencé à m'intéresser aux saints. On parlait tout le temps de saints, dans cet endroit. Certains docteurs étaient des saints. Certaines infirmières étaient des saintes. On citait très souvent sainte Rita – la patronne des femmes mariées. Quant à saint Joseph – patron des malades chroniques – il avait sa photo accrochée à la tête du lit. Et à l'époque, l'école où on allait s'appelait l'école primaire de Tous les Saints – ce qui était très pratique.

Quand on était seuls à la maison, papa, Anthony et moi, j'allais souvent sur Google. C'est comme ça que je suis tombé sur completementsaints.com. À lire tous les miracles qu'ils avaient faits, j'ai été content de voir que les choses ne se passaient pas forcément comme prévu. Et puis un jour, quelqu'un nous a annoncé qu'elle était partie et qu'elle était mieux là où elle était. Ce qui prouve bien que l'endroit d'avant n'était vraiment pas le meilleur qui soit. Pourtant, on ne nous a jamais emmenés dans ce nouvel ailleurs. Et quand on s'est renseigné pour savoir où c'était, tout le monde est resté dans un flou géographique total. Ils nous ont juste dit : « Elle est mieux là où elle est, il va falloir être bien sages et très, très gentils avec votre papa. » Ils avaient l'air d'insinuer que papa aurait très bien pu s'en aller dans cet endroit-là, lui aussi, si on ne faisait pas attention. Du coup on a fait très attention. Tout le temps. Sans arrêt.

Je me souviens parfaitement que quelqu'un nous a dit qu'on la reverrait un jour dans cet endroit qui était encore mieux que l'autre. Alors quand on a commencé à parler de la rue Cromarty, je me suis dit que ça devait être là. Sinon pourquoi y aller, hein ? Dès que j'ai vu tous ces toits pointus, j'ai compris qu'il y avait erreur. C'était bien, d'accord, mais pas tant que ça.

Plus tard, j'ai aussi compris que quand les gens disaient qu'elle était mieux là où elle était, c'était une métaphore.

6

Le lendemain matin, papa m'a arrêté au moment où j'allais partir à l'école.

— Tu te souviens de ce voyage dont parlait la lettre que ton professeur t'a donnée ? C'est aujourd'hui.

— Ah ! Mais on va être en retard, non ? Quand on est parti à Llangollen avec mon ancienne classe, on avait rendez-vous à l'école à sept heures et demie.

— Non, non, cette fois ce n'est pas avec toute la classe. On y va rien que nous deux, toi et moi. Allez ouste, en voiture !

Je suis monté et on est parti. D'habitude, je ne me mets jamais à l'avant, mais comme on n'était que tous les deux, je me suis installé à côté de papa. C'était bien. Il m'a donné un petit plan photocopié sur lequel il avait surligné une route en jaune vif et il m'a dit :

— Garde ça à portée de main, je pourrais en avoir besoin.

Ça m'a paru un peu bizarre, mais avant que j'aie eu le temps de poser une question, il a repris :

– Regarde ce que j'ai retrouvé. Ça fait des siècles qu'on ne l'a pas écouté.

Et il a mis une cassette. C'était *Les Aventures de William*, lues par Martin Jarvis. C'était vraiment drôle – surtout l'histoire du bébé qui a un lumbago. J'ai tellement ri que j'ai mis longtemps à réaliser que papa n'écoutait pas. Mais comme on allait dans un coin qu'il ne connaissait pas, je suppose qu'il se concentrait sur l'itinéraire.

On s'est garé devant une vieille maison, au bord d'une grande route qui longeait un parc.

– C'est quoi ?

– Une maison, voilà tout.

On a marché jusqu'à l'entrée. Il y avait une plaque de cuivre à gauche de la porte.

– Pourquoi ça s'appelle maison Huskisson ? C'est le nom des gens qui habitent là ?

– Je n'en sais rien, je ne les connais pas.

– Alors, qu'est-ce qu'on fait ici ? (Je commençais à paniquer.) Je fais tout pour être gentil, tu sais. Vraiment tout mon possible.

– Je sais, Damian. Et tu es gentil. Très gentil. Tu es parfait. Je veux leur montrer à quel point tu l'es.

On est entré dans une pièce où il y avait des chaises en osier et une pile de magazines sur une table. *Caravaning en Écosse* est celui qui m'a semblé le plus intéressant.

Une femme avec de longs cheveux raides et de

longues boucles d'oreilles raides est entrée et nous a demandé de la suivre. Une fois dans le couloir, j'ai réalisé que j'avais emporté le magazine sans le faire exprès. Comme je ne voulais pas qu'ils croient que j'avais l'intention de le voler, je suis vite allé le remettre en place. À mon retour, plus personne dans le couloir. J'ai été drôlement tenté de filer vers la sortie et de partir en courant, mais papa a passé la tête par une porte et m'a fait signe de venir.

Quand je suis entré dans la pièce, la femme aux longues boucles d'oreilles était en train de dire :

– Et il s'est infligé des blessures ?

– Quelques égratignures, sans plus.

– Eh bien, nous allons y jeter un coup d'œil. Damian, tu veux bien enlever ta chemise, s'il te plaît ?

J'ai retiré ma chemise et elle a examiné mon dos pendant que je regardais un grand masque très triste accroché au mur. Il venait d'Afrique, je pense.

Elle a dit :

– Elles ne sont pas très profondes mais il y en a beaucoup. Avec quoi s'est-il fait ça ?

Papa m'a regardé. J'ai répondu en toute honnêteté :

– Avec du houx.

– Donc tu t'es fait ça tout seul ?

– Eh bien oui… en le mettant sous ma chemise.

– Pourquoi ? a demandé papa.

J'étais prêt à lui expliquer, mais la femme a levé un doigt en disant :

– Je tiens à éviter toute forme de confrontation.

Ensuite, elle m'a posé tout un tas de questions. Comment je m'endormais le soir. S'il m'arrivait de faire des cauchemars. La plus bizarre a été : « Est-ce que tu vois des choses qui n'existent pas ? »

– Si on voit quelque chose, c'est que ça existe, non ? Comment une chose pourrait ne pas exister si on la voit ?

– On y reviendra plus tard, elle a dit avec un grand sourire.

Elle a enlevé une de ses boucles d'oreilles et s'est mise à la tripoter.

– Bon. Je vais te citer quelques mots, et j'aimerais que tu répondes par le premier mot qui te viendra à l'esprit. Est-ce que tu veux bien essayer de faire ça pour moi ?

Ça n'avait pas l'air très difficile.

– Très bien, allons-y. Le premier mot est : petite.

– Fleur.

– O.K.

Elle a eu l'air un peu étonnée et elle a noté quelque chose sur un carnet en disant :

– Intéressant. Inhabituel.

– Vous savez, comme la Petite Fleur de l'Enfant Jésus, j'ai précisé.

– Inutile de m'expliquer, Damian. Dis-moi simplement la première chose qui te passe par la tête. Le mot suivant est : gâteau.

– Savon.

– Très bien. Cloche.

– Lèpre.

Elle a froncé les sourcils en faisant « Oh ! », mais elle a dit « O.K. » juste après.

– Chemise.

– Crin.

Cette fois elle n'a pas dit O.K. mais :

– Pardon ?

– Vous savez, a dit papa, ces chemises en crin que portaient les…

Elle lui a fait signe de se taire, mais sans me quitter des yeux.

– Voler ?

– Joseph de Cupertino (1603-1663)

J'ai bien vu que ça ne lui disait rien, alors j'ai continué :

– C'était un moine. On prétend qu'il n'était pas bien dans sa tête mais il était capable de léviter. Pendant la construction de l'église de Grottella, il s'envolait souvent jusqu'au toit pour aider les ouvriers. Je sais que ça paraît fou mais il y a plein de gens qui l'ont vu faire, y compris le célèbre et cynique Voltaire et le grand mathématicien Leibniz. C'est étonnant de penser que Leibniz – un des plus grands esprits de l'histoire – ait pu être épaté par un soi-disant simplet.

Je pense que ça l'a impressionnée, parce qu'elle en a lâché sa boucle d'oreille. Après ça, elle ne m'a plus rien demandé. Ma dernière réponse avait visiblement fait mouche.

– Je ne sais pas d'où il sort ça, a dit papa.

– De completementsaints.com, j'ai répondu. C'est très pratique. Grâce aux liens, on peut retrouver un saint à partir des choses qui sont sous sa protection. Par exemple, si vous voulez savoir qui était le patron des masques africains…

– Je n'y tiens pas, elle m'a dit. D'ailleurs il n'est pas à moi.

Elle a refermé son carnet, elle a ramassé sa boucle et l'a raccrochée à son oreille.

Quand papa m'a raccompagné à l'école, j'ai bien senti que quelque chose le tracassait, alors j'ai décidé de faire la conversation :

– C'est sûrement un Ougandais. Les martyrs ougandais sont les saints les plus populaires d'Afrique. Le plus célèbre a été décapité mais les autres ont…

– Damian, s'il te plaît, pour une fois, arrête avec tes saints. Ou plutôt non : arrête une bonne fois pour toutes, O.K. ? Ce n'est pas… normal. Ça n'a rien d'excellent. O.K. ?

– Hein ?

Je n'en revenais pas qu'il dise un truc pareil.

– Pas excellents, eux ? C'est tout le contraire ! Les saints, justement…

– Damian, fais attention.

J'ai préféré changer de sujet et j'ai embrayé sur le caravaning en Écosse. Il y a deux sortes de caravanes : les touristiques et les statiques. Les statiques ne bougent pas. Les touristiques ont des noms comme

Maraudeur, Ambassadeur ou Corsaire. Curieux, non ? On imagine mal un corsaire en train de voyager en camping-car. Ou un ambassadeur. À moins qu'il soit ambassadeur d'un tout petit pays.

Papa faisait semblant de ne pas écouter, mais ces observations ont quand même dû l'intéresser parce qu'il s'est arrêté pour m'acheter un Mars géant et il m'a dit :

— Tiens, plante tes crocs là-dedans.

Après l'école, j'ai essayé de décrire la scène à Anthony :

— J'ai fait ce que j'ai pu mais je ne comprends toujours pas ce qu'ils attendaient de moi.

Anthony m'a dit :

— Ils te prennent pour un cinglé.

Je n'avais jamais pensé à ça. Mais après tout je m'en fiche. Tout le monde prenait Joseph de Cupertino pour un cinglé alors qu'il était capable de voler. Et même très loin s'il le voulait. À des kilomètres et des kilomètres.

Il faisait nuit quand on est arrivé chez nous. On a vu passer les Saints des Derniers Jours sur leurs vélos. Ils portaient des casques avec des bandes réfléchissantes qui brillaient comme des auréoles.

En allant au lit, j'ai repensé à eux et je me suis dit que ce serait merveilleux qu'ils soient saints dans le vrai sens du terme. Mais pourquoi des « Derniers Jours » ? Ce détail me perturbait.

Papa est un adepte de la culture générale. Avant qu'on déménage, il participait à des concours de questions-réponses dans tous les pubs de la ville. Leur équipe s'appelait les Onsaitout. Ils gagnaient toujours. Dès le réveil, il nous demandait par exemple : « Dans quel sport gagne-t-on à reculons ? » ou une question de ce genre. Du coup, j'ai décidé d'aller le voir pour lui demander ce que voulait dire « des Derniers Jours ». Bon, d'accord, il était trois heures du matin, mais ça m'a quand même étonné qu'il réponde : « Comment veux-tu que je le sache ? » Et puis il m'a tourné le dos et il s'est rendormi. Je me suis glissé dans son lit. Papa n'est plus aussi fort qu'avant en culture générale.

Finalement, comme je n'arrivais pas à me rendormir, j'ai décidé d'aller sur Google et j'ai tapé « mormons ». J'ai fini par tomber sur saintsdesderniersjours.org et là, j'ai appris tout ce que je voulais. Le mouvement des Saints des Derniers Jours – ou mormons – a été fondé à New York en 1827 par un dénommé Joseph Smith. Un ange appelé Moroni lui a donné des tablettes en or couvertes d'une étrange écriture. M. Smith s'est rendu compte qu'il pouvait les déchiffrer grâce à des lunettes spéciales. Ça racontait l'histoire de la tribu d'Israël, et comment elle était venue s'installer en Amérique en 600 av. J.-C. Une fois que M. Smith a eu fini de lire, l'ange a récupéré ses tablettes et les lunettes qui allaient avec. Tout cela restait un peu flou.

Il faisait encore nuit, mais j'ai décidé de m'habiller et de regagner mon ermitage. Dès que j'ai mis le nez dehors, j'ai changé d'avis. Il faisait un froid glacial. Comme quand on se retrouve sous une douche froide alors qu'on la croit bien chaude. J'ai subitement réalisé à quel point le lit était une belle invention. Malheureusement, la porte d'entrée s'était refermée derrière moi. Donc, impossible de rentrer.

Dans mon ermitage, il faisait aussi froid qu'à l'extérieur. J'ai commencé à regretter d'avoir percé des fenêtres. Je me suis roulé en boule dans un coin et j'ai essayé de chasser le froid de mon esprit en passant de la crème teintée hydratante sur le dessus de ma main. Ce n'était pas la couleur de sa peau, mais la couleur que sa peau avait, si vous voyez ce que je veux dire. Après ça, j'ai essayé de méditer sur la difficulté d'être gentil. On croit bien faire, et en définitive on s'aperçoit qu'on crée des problèmes ou qu'on n'est pas normal. Ensuite je me suis mis à penser aux saints et au fait que papa n'avait plus l'air de les aimer. Peut-être qu'ils n'étaient pas aussi sensationnels qu'on le disait et que tout ça n'était qu'une vaste supercherie. Et puis je me suis dit que ce genre de doute était justement une tentation de plus, alors j'ai essayé de réciter une prière. Mais tout ce qui m'est venu à l'esprit c'est : « Au nom du Père et du Fils et du Saint-Esprit, Amen. Ma maman est morte. Amen. »

Il m'a quand même fallu cinq bonnes minutes pour dire cette petite prière, à cause de mes dents qui n'arrêtaient pas de s'entrechoquer. Pourtant, Dieu a dû m'entendre car il m'a répondu. Et vous savez quoi ? Il a réagi comme les autres. Il m'a donné quelque chose.

À l'instant même où je terminais ma prière, un train est passé. Une énorme rafale d'air gras s'est engouffrée dans l'ermitage et tous les rabats se sont mis à claquer. J'ai regardé dehors. C'était un train sans fenêtres. Rien qu'un gros bloc de nuit monté sur roues qui passait en hurlant le long des buissons de houx.

Pendant que je regardais, un petit morceau s'est détaché du gros bloc de nuit et il est arrivé vers moi en tournoyant dans les airs. Il s'est écrasé au fond de l'ermitage, aplatissant les cartons et laissant entrer un courant d'air glacé. Après quoi il est resté tapi sur les cartons tout aplatis, comme un gros crapaud à la peau parcheminée.

Je me suis approché pour le toucher. C'était un sac. La fermeture Éclair s'était ouverte et le contenu s'était répandu. Le contenu, c'était de l'argent. Il ne s'agissait pas d'une vision ni d'une apparition ni rien de ce genre. Je pense qu'on peut appeler ça un signe. Un grand, gros signe. De l'argent, donc. Des billets de banque. Une montagne de billets. Des milliers et des milliers de livres. Peut-être même des millions.

7

Je tiens à signaler que ce n'est pas la première fois dans l'histoire que de l'argent tombe du ciel. C'est aussi arrivé en Turquie au IIᵉ siècle. Là-bas, quand une fille voulait se marier, son père devait donner une certaine somme d'argent au futur mari. On appelait ça une dot. Or il était une fois trois filles qui n'avaient pas un sou. Leur père a donc décidé de vendre leur virginité. C'était une pratique courante en ce temps-là. Bref, une nuit, saint Nicolas de Myra est monté sur le toit de leur maison et il a laissé tomber trois sacs d'argent dans la cheminée – un pour chacune des filles. C'est ainsi que leur honneur a été sauvé. Tout petit, Nicolas de Myra était déjà saint. Le vendredi, par exemple, il refusait de téter sa mère pour observer le jeûne. C'est le patron des marins, des prêteurs sur gage, des filles à marier, des enfants (à la suite d'un curieux incident survenu à des garçons tombés dans un tonneau de saumure) et des marchands de parfum. Aujourd'hui, on le connaît sous le nom de saint Nicolas tout court – c'est-à-dire l'équivalent du Père Noël pour beaucoup de gens. C'est sans doute le saint qui a le mieux réussi.

Quand le sac de billets a atterri devant moi, j'ai immédiatement pensé à saint Nicolas. J'aurais pu m'adresser à lui pour lui demander conseil. Ou encore à saint Matthieu, qui est le patron de l'argent. J'aurais pu appeler la police. Ou mon père. Au lieu de ça, j'ai traversé le champ en criant :

– Anthony ! Anthony ! Viens voir ça !

J'étais surexcité, vous comprenez.

Aujourd'hui je me demande si c'était une bonne idée.

Je suis arrivé devant la maison. Il faisait encore nuit mais il y avait de la lumière dans la cuisine et j'ai aperçu Anthony qui se faisait griller du pain. J'ai frappé à la fenêtre. Il a fait un bond tellement il a eu peur. Mais quand il a vu qui c'était, il est venu m'ouvrir.

– Qu'est-ce que tu fais là ? Tu grelottes ! Où étais-tu ? Tu as passé toute la nuit dehors ?

Je claquais toujours des dents.

– J'ai… j'ai trouvé… j'ai trouvé…

– Quoi ?

– Viens voir.

Anthony a mis son manteau. Il voyait bien que j'étais excité mais il n'était pas convaincu pour autant. Il m'a dit :

– J'espère pour toi que c'est pas le genre de truc que tu es le seul à voir.

Ça m'a fait penser à la remarque de cette femme, dans la maison Huskisson. Et si on pouvait voir des choses qui n'existent pas ? Et si, optiquement parlant, ce n'était pas aussi évident que je le pensais ? Mais quand on est arrivé à l'ermitage, le sac était bien là. Je l'ai montré du doigt.

— Qu'est-ce que c'est ? a demandé Anthony.

— Tu te rappelles, quand on dit aux gens que maman est morte et qu'ils nous donnent des trucs ?

Il a hoché la tête.

— Eh ben, je l'ai dit à Dieu !

J'ai écarté le carton pour lui faire voir. Devant ce gros sac bourré de billets, son visage s'est illuminé. Aujourd'hui encore, il affirme que c'est la plus belle chose qu'il ait vue. Sur le coup, il a été fou de joie.

— Et ça vient de Dieu, d'après toi ?

J'ai fait oui de la tête.

— Eh ben dis donc, il tenait vraiment à nous remonter le moral !

Il a fallu qu'on s'y mette à deux pour porter le sac jusqu'à la maison. Imaginez un peu. Plus d'argent qu'on ne peut en porter ! Je voulais l'étaler sur la table de la salle à manger pour faire la surprise à papa quand il rentrerait, mais Anthony a dit qu'il ne fallait pas lui en parler.

— Pourquoi ?

— À cause des impôts.

Il a fallu qu'il m'explique ce que c'était.

– Si papa apprend ça, il devra le dire au gouvernement et, s'ils apprennent ça, ils voudront le taxer. À quarante pour cent – c'est-à-dire pratiquement la moitié. On ferait mieux de cacher tout ça avant de partir à l'école.

Mais on n'a pas pu. Il fallait qu'on sache combien il y avait. On a vidé le sac sur la table.

– De toute façon, a repris Anthony, si Dieu avait voulu en faire cadeau à papa, il lui aurait plutôt envoyé un chèque par la poste.

Difficile de discuter un tel argument.

On a commencé à compter. D'abord les billets de dix, en se servant de la table de dix, mais on s'est vite embrouillé avec ceux qu'on avait déjà comptés. Des billets, il y en avait partout, la pièce semblait bourrée à craquer. Alors Anthony a eu l'idée de faire des piles de cent, et ensuite de les compter. Mais ce n'était pas une solution non plus. Au bout de dix minutes, le sol était entièrement recouvert de liasses de billets. On ne savait plus où s'asseoir, et encore moins comment calculer. On a décidé de faire des tas de mille. On est arrivé à deux cent vingt-neuf tas. Plus trois cent soixante-dix livres en petites coupures. Soit en tout 229 370 livres. Ou bien 22 937 000 pence.

Pendant un moment on est juste resté là, à regarder. Tout à coup, Anthony a pris un paquet de mille livres et il l'a posé en travers d'un autre paquet. Ensuite il en a pris un autre et il l'a posé en travers des deux premiers. J'en ai pris un à mon tour et j'ai fait pareil. Et puis Anthony. Et puis moi, et ainsi de suite jusqu'à construire une tour d'argent. Elle était presque aussi grande que moi quand elle s'est cassé la figure. Alors on a éclaté de rire.

C'était la première fois qu'on jouait à Cash-Kapla. Après ça, on y a joué tous les soirs de la semaine. Notre record, ç'a été jusqu'à la hauteur des sourcils d'Anthony. Mais c'était la première fois la meilleure. Quand le jeu est pour ainsi dire né de notre propre excitation.

Cash-Kapla, c'est un jeu super quand on a les moyens.

On est arrivé en retard à l'école mais d'une certaine manière on s'en fichait. Chaque fois qu'on se croisait dans la cour ou dans un couloir, Anthony et moi, on se souriait jusqu'aux oreilles. Avoir un secret, c'est comme avoir des ailes rentrées sous son manteau. J'ai donné mes Pringles (goût fumé) à Barry sans qu'il me le demande. Je lui ai mis le paquet dans la main pendant qu'on se mettait en rang, à la fin de la récréation. Je lui ai juste dit :

– Tiens, régale-toi.

Il a eu l'air un peu surpris.

Avant de rentrer à la maison, on s'est arrêté au magasin et Anthony a acheté une bouteille de Sunny Delight grosse comme un ballon. Quand il a vu comment je la regardais, il a dit au vendeur :

– Mettez-m'en deux.

Pendant que le type allait chercher ma bouteille, une fille de la classe d'Anthony est entrée – celle qui a de jolies petites tresses africaines qui lui font comme des épis de blé sur la tête. Du coup, Anthony a dit :

– Donnez-m'en trois et prenez-vous quelque chose aussi.

Et puis il a tendu un billet de dix au vendeur et la bouteille à la fille. C'est à ce moment-là que Barry est arrivé. Il a fait :

– Ouououh ! Il est amoureux, il est amoureux ! Il lui achète du Sunny Delight !

– Et pourquoi je lui en achèterais pas ?

– Et pourquoi tu m'en achèterais pas à moi aussi ?

– Pas de problème.

Et il a acheté une autre bouteille. Entre temps, Kaloo, le copain de Barry, s'était pointé à son tour.

– T'as dit oui parce que t'as la trouille de lui, c'est ça ?

Du coup, Anthony a acheté une cinquième bouteille pour Kaloo.

Il y avait maintenant foule dans la boutique. Tout le monde voulait voir ce qui se passait. Kaloo braillait :

– Le nouveau veut se faire bien voir, il nous paie du Sunny Delight !

– C'est pas du tout pour me faire bien voir, a rétorqué Anthony.

Et pour le prouver, il a payé une bouteille à tout le

monde. Trente-trois bouteilles en tout, plus un carton de chips aux crevettes. Pas un paquet, un carton entier, comme chez le grossiste.

– À te voir dépenser tant d'argent, on dirait que tu as peur qu'il passe de mode, a dit le marchand.

– C'est exactement ça, a répondu Anthony.

Dehors, c'était la bousculade autour du carton de chips. Il y en avait plusieurs qui avaient laissé tomber leur vélo au milieu du trottoir pour avoir leur part. Anthony a crié :

– Qui est-ce qui veut nous prêter son vélo ?

Un ou deux gars ont relevé la tête.

– Dix livres, ça vous va ? a proposé mon frère.

Du coup, tous ceux qui avaient un vélo se sont limite battus pour arriver en premier jusqu'à nous. Finalement, on s'est décidé pour le Raleigh Max de Terry Keegan et le Macadam Shark de Franny Amoo. Anthony leur a dit qu'on leur réglerait le prix de la location quand ils viendraient reprendre leur vélo, mais avant cinq heures, parce que c'est l'heure où papa rentre.

J'ai trouvé ça agréable d'obtenir quelque chose sans avoir à parler des morts. Comme le Raleigh Max et le Macadam Shark avaient d'excellentes suspensions, on a roulé à travers champs, le long de la voie ferrée. Anthony s'est mis à énumérer tous les super-trucs qu'on allait pouvoir s'offrir : un vélo (ou un quad, tant qu'à faire), des baskets neuves, plein de nouveaux T-shirts, un téléphone portable, des toupies

Beyblades. Bref, tout ce que papa considère comme de l'argent fichu en l'air : les X-Box, les Gamecubes, les chaînes câblées ou les lunettes à rayons X.

— C'est nul. On ne voit que des squelettes.

— C'est chouette, les squelettes.

En arrivant à la maison, au lieu de brancher le four, on a appelé Pizza Reaction et on a commandé des pizzas. J'en ai choisi une avec supplément fromage et double *pepperoni*. En attendant la livraison, on a fait une partie de Cash-Kapla et j'ai gagné.

Ensuite, Anthony a voulu jouer au Monopoly avec des vrais billets.

— Ça va être super. C'est moi le banquier.

Mais on avait à peine fini d'installer le plateau que M. Pizza Reaction est arrivé sur sa Mobylette.

En ouvrant la porte, on a aperçu papa qui rentrait la voiture sous l'auvent. Il est arrivé vers nous en criant :

— Qu'est-ce qui se passe, bon sang ?

— On a commandé des pizzas au lieu de faire la cuisine. On a pensé que ce serait excellent.

— Et où avez-vous trouvé l'argent ?

— Dans ma cagnotte personnelle, a répondu Anthony.

— Quoi, ce que tu as reçu pour ton anniversaire et tout le reste ?

— Ouais, c'est ça, tout le reste. C'est des livres sterling, il faut bien les dépenser avant le Jour €. On t'en a commandé une.

— À quoi ?

– Fruits de mer avec supplément anchois.

Anthony a soulevé le couvercle de la boîte et la vapeur s'est élevée en spirale, comme la fumée d'une bougie. Une bonne odeur de pâte molle et de fromage fondu s'est répandue dans la pièce.

– C'est gentil. Vraiment très, très gentil de votre part, a dit papa.

Il est resté à regarder la pizza pendant un bon moment, sans rien ajouter.

– On n'a pas fait le bon choix ? j'ai demandé.

Tout à coup, il est parti dans la cuisine et il s'est mouché avant de revenir en disant :

– Si, si, c'est très bien. Vous ne pouviez pas mieux choisir. C'est absolument parfait.

J'ai dit :

– Les boîtes en carton, c'est nettement mieux que le polystyrène, à mon avis. Ça rend les trucs tout caoutchouteux, le polystyrène.

– Oui, c'est vrai, a dit papa.

Il avait les yeux si brillants que, pendant un instant, j'ai cru qu'il allait se mettre à pleurer. Mais on ne pleure pas pour une pizza, c'est clair.

– Vous êtes vraiment sympas, a répété papa.

Et il s'est taillé la plus grosse part de pizza que j'aie jamais vue, l'a pliée en deux et l'a mise dans sa bouche. On aurait dit une gargouille et ça nous a tous faire rire.

J'ai demandé qui avait inventé la pizza. Non pas que ça m'intéressait particulièrement, mais juste pour brancher papa sur les questions de culture générale. Je me suis dit que ça lui ferait peut-être plaisir, comme avant. Je me rappelle l'avoir vu dévorer un énorme livre sur l'histoire de la pomme de terre.

– La pizza a été inventée à Naples. À l'origine, ce n'était qu'une sorte de pain aromatisé aux herbes. Ceux qui n'avaient pas beaucoup d'argent achetaient ça sur les marchés. Quand la reine Margherita s'est rendue à Naples, en 1889, elle a trouvé ça tellement bon qu'elle a demandé au meilleur fabricant de pizza de l'époque – un certain Rafaelle Esposito – d'en faire une spécialement pour elle. Il a eu la bonne idée d'ajouter du basilic, des tomates et de la mozzarelle. Le basilic étant vert, les tomates rouges et le fromage blanc, ça donnait les couleurs du drapeau italien. C'est depuis ce jour-là qu'on appelle cette pizza une Margherita.

On a débarrassé la table. C'était vraiment une super journée.

8

Anthony trouve que je devrais insister sur l'aspect financier de cette histoire. Financièrement parlant, donc, nous avions 229 370 livres sterling. Au matin du 1er décembre, ça équivaudrait à 323 056 euros. On dit que l'argent ne fait pas le bonheur et que l'amour ne s'achète pas, d'accord, mais c'est quand même intéressant de savoir tout ce qu'on peut s'offrir avec une somme pareille.

À titre d'exemple, on peut acheter 15 390 paires de Micro Turbo racers à 20,99 € la paire. Ou bien 3 756 hélicoptères Sky Patrol (radiocommandés, faciles à manœuvrer et rapides à recharger) à 85,99 € pièce. Ou bien 22 937 Airbazookas (qui envoient des boules d'air comprimé). Ou bien 43 159 porte-clés boussoles. Ou bien 5 736 mini appareils à faire de la barbe à papa. Ou bien 1 434 VTT BMX Shogun. Ou encore 2 699 Gameboy Advance.

Le 1er décembre, il nous restait dix-sept jours pour dépenser notre argent.

Ce matin-là, en ouvrant la porte, on a trouvé six garçons et deux filles qui nous attendaient sur leur vélo. Dès qu'Anthony a mis le nez dehors, ils se sont tous mis à crier :

– Tu veux mon vélo ? Eh ! Anthony, un vélo ? Anthony, prends mon vélo, Anthony !

Mon frère a regardé les vélos l'un après l'autre.

– Aujourd'hui, je crois qu'on aimerait mieux se faire conduire. Kaloo et Tricia, ça vous dit ?

Kaloo McLoughlin et Tricia Springer avaient des BMX équipés d'une petite barre en acier sur l'axe de la roue arrière, sur laquelle on pouvait se tenir debout. Anthony est monté sur le vélo de Kaloo et moi sur celui de Tricia. On a fait tout le chemin avec les autres qui pédalaient derrière comme une escorte motorisée. Tout le monde nous regardait. C'était géant. Arrivé devant l'école, Anthony a donné dix livres à Kaloo et à Tricia.

Ça n'a pas eu l'air de lui faire tellement plaisir, à Tricia.

– Dix livres pour un kilomètre, c'est beaucoup trop. Je voulais juste de quoi m'acheter des stylos à paillettes.

À vrai dire on n'avait pas plus petit que des billets de dix. Avec le recul, si vous en parlez à Anthony, il vous dira que c'est à partir de là que les ennuis ont commencé.

D'après lui, c'est le manque de petite monnaie qui a déclenché cette inflation galopante dans la cour de récréation. Mais à l'époque, le problème ne nous a même pas effleurés. On se disait qu'on avait 229 000 livres et des poussières à dépenser, un point c'est tout.

Au début, ça nous a paru facile. À la cantine par exemple, on s'est pris un repas chaud au lieu de notre éternel sandwich maison, et on n'a même pas eu à faire la queue. Peter Ahenacho l'a faite à notre place et il nous a apporté notre assiette à table, comme au restaurant. Tracey Edwards est allée nous chercher les couverts et à boire. Et après, elle a tout débarrassé pour nous. On leur a donné dix livres à chacun. Ensuite on s'est offert une deuxième part de dessert (du flan au chocolat) pour dix livres supplémentaires. On venait de finir quand Barry est venu s'asseoir à notre table. Il a sorti une paire de montres talkie-walkie.

— Elles ont une portée de deux cents mètres. Des piles neuves. Un tableau de bord superdesign. Qu'est-ce que t'en dis ?

— Dix livres, a annoncé Anthony.

— Tu rigoles ? C'est ce que tu lui as donné pour aller te chercher une fourchette ! Disons quarante.

— O.K., ça marche.

Jusque-là, on avait déjà dépensé cent livres.

Dans la cour de récréation, il y en a plein d'autres qui sont venus nous trouver avec des trucs qu'ils avaient rapportés de chez eux : une Gameboy, des lunettes pour voir dans le noir, une demi-douzaine de Micro-Machines. Le temps d'aller de la cage à poules aux toilettes des garçons, on en était à cent cinquante livres.

Dans les toilettes, on est tombé sur un garçon de CM 2 – un certain Amar. Il tenait une grande boîte jaune avec des joueurs de foot dessinés dessus. Les coins de la boîte étaient tout écrasés.

– C'est un Subbutéo. Vous avez dû en entendre parler, c'est un truc légendaire !

Non, ça ne nous disait rien du tout.

– C'est un jeu de football de table, les gars. Classe, non ? Ça date du temps de mon père. Un héritage familial, quoi.

– Autrement dit, c'est une occase.

– Pas du tout ! C'est une antiquité, les gars. Un truc sans âge. Une vraie légende. Regardez. Voilà les deux équipes : Arsenal et Manchester City.

Il a ouvert la boîte. Au fond, il y avait des dizaines de joueurs minuscules allongés en rang d'oignons, comme s'ils étaient en train de dormir. Il y avait aussi des miniprojecteurs, des ambulances, des arbitres, des juges de touche, le banc des entraîneurs, un journaliste télé, des panneaux publicitaires. Tout. Un vrai petit monde sur lequel on pouvait régner. Il nous le fallait absolument.

– Quarante livres.

– Quarante ! Tu délires ou quoi ? C'est ce que tu me donnerais pour aller tailler ton crayon. Je lâche pas à moins de cent livres.

– Et puis quoi encore ? C'est toi qui délires. À ce prix-là, je pourrais m'offrir une équipe en chair et en os. Crewe Alexandra, par exemple.

– Peut-être, mais à ce prix-là, t'aurais pas les entraîneurs.

Là-dessus, il a sorti de sa poche un petit sac congélation. Dedans il y avait deux bonshommes en plastique avec des manteaux en peau de mouton. Le premier portait un petit chapeau, le deuxième avait son col relevé.

On en est resté baba.

– Vous ne serez pas déçus, les gars.

J'ai dit :

– Comment on va faire pour rapporter tout ça à la maison ?

– Cent livres de plus si tu nous livres à domicile, a proposé Anthony.

Amar a craché dans sa main et il l'a tendue à Anthony. Anthony l'a regardée et il lui a passé une serviette en papier.

Ça m'a laissé plutôt perplexe.

À la sortie, tous les propriétaires de vélo nous attendaient en criant :

– Je te raccompagne chez toi ?

– Eh ! Tu veux que je te raccompagne ?

On leur a filé sous le nez et on est monté dans une grosse voiture noire. Anthony avait réservé un taxi. On leur a fait au revoir et on a démarré.

– C'était une super journée, j'ai dit. Si ça continue, on aura tout dépensé en moins de deux.

– Pas si fort ! a soufflé Anthony en pointant le menton vers le chauffeur.

Et il a repris à voix basse :

– Hier on n'a pas dépensé grand-chose, et aujourd'hui on a claqué trois cent cinquante livres. Donc il nous en reste environ 229 000. À ce train-là, il nous faudra six cent cinquante-cinq jours pour tout liquider.

– Oh...

– À partir de demain, on n'aura plus que seize jours devant nous. Remarque, j'ai pas compté le taxi.

Le trajet nous a coûté quatre livres. Quand on pense au prix d'une part de flan, c'est vraiment pas cher. Anthony a tendu un billet de dix au bonhomme et il lui a dit de garder le reste. Grave erreur. Pour une fois qu'on avait l'occasion de faire de la monnaie.

9

Dès la seconde où on est arrivé à l'école le lendemain matin, tout le monde s'est rué sur nous pour nous vendre des trucs. Anthony a acheté : deux microscooters (cabossés), un maillot du Real Madrid, une montre Harry Potter (modèle original), la cassette vidéo de *Projet Blair Witch* (quelqu'un a dit que si tu la regardes tu meurs, alors on ne l'a jamais regardée), un ballon officiel dédicacé par Manchester United, l'équipe trois fois championne d'Angleterre, un paquet de space ice cream, un stylo qui écrit sous l'eau et un appareil photo numérique déguisé en stylo (comme on n'a pas l'ordinateur qu'il faut, on n'a jamais pu voir les photos qu'on avait prises).

Il y en a d'autres qui ont essayé de nous vendre des tas de cochonneries. Par exemple, les gadgets qu'on trouve dans les Happy Meals. Cinq personnes ont voulu me vendre un de ces Jardins de Cristaux à monter soi-même et qu'on ne fait jamais. Mais ça n'avait aucune importance. Même si on disait non, il y avait toujours un preneur. À présent, tout le monde avait de l'argent car pratiquement tout le monde avait réussi à nous vendre quelque chose. Les billets circulaient partout. L'argent faisait fureur. Comme les yo-yo musicaux ou les Beyblades à une certaine époque. On ne jouait même plus au foot. C'était totalement dépassé. La cour de récré était devenue un immense vide-grenier.

M. Quinn s'est approché de moi et m'a dit :

– Il y a beaucoup d'agitation aujourd'hui, hein ?

– Tout ça me laisse profondément perplexe, j'ai répondu.

Il m'a regardé un peu bizarrement.

Sur le chemin du retour, Anthony a voulu acheter des Big Baby Pop. Mais quand on est entré dans la boutique, les étagères étaient quasiment vides. Ils avaient tout acheté à part les pastilles Fisherman's Friends et le Paic citron.

Le marchand a dit :

– Qu'est-ce qui se passe, à la fin ? Vous le sortez d'où, cet argent ?

Anthony a décidé de ne plus retourner dans ce magasin, au cas où.

Personnellement je n'ai pas acheté grand-chose, mais j'ai quand même trouvé le moyen d'aller jusqu'à la boutique de souvenirs religieux, derrière l'église Sainte-Marie-Marguerite. J'ai acheté des statuettes de saint François, saint Martin de Porres, la Petite Fleur, Gérard Majella et l'Enfant de Prague. Et aussi des médailles miraculeuses de sainte Bénédicte, sainte Bernadette et saint Antoine. Ils en avaient une avec saint Christophe mais, personnellement, je trouve qu'il ne compte pas vraiment pour un saint. Il y avait également des images en couleur de tous les saints ci-dessus mentionnés, plus l'archange Michel avec son épée de feu. J'ai réussi à les faire tous tenir sur le rebord de ma fenêtre. Avec les microscooters et l'Airbazooka, ç'a été une autre paire de manches. Anthony a essayé de les coincer sous le lit, mais il n'y avait déjà presque plus de place à cause du Subbutéo et de l'argent.

– Va falloir mettre ça dans ta tanière.

– Ce n'est pas une tanière, c'est un ermitage. Et si je l'ai fait, ce n'est pas pour l'encombrer avec des biens bassement matériels.

– Tu sais quoi ? On pourrait louer un garage ou un coffre quelque part.

– Et pourquoi on n'en parlerait pas à papa ? À quoi ça nous sert d'avoir tout ça si on ne peut même pas jouer avec ?

– O.K. O.K. O.K. On va jouer au Subbutéo.

Il n'avait pas tellement envie de jouer. C'était juste pour me prendre au mot. On a étalé le tissu vert sur le sol. D'un tel vert que c'était comme une vraie petite pelouse au milieu de la chambre. La règle du jeu, c'est de donner des pichenettes aux footballeurs pour qu'ils fassent avancer le ballon. Si on rate la balle, c'est à l'autre de jouer. Anthony a réussi cinq ou six tirs de suite pendant que je déplaçais les juges à toute vitesse sur la ligne de touche. On se parlait à peine et le tissu vert me semblait de plus en plus grand et de plus en plus vert. J'avais l'impression d'être sur un vrai terrain, sauf qu'il n'y avait pas de bruit et que tout le monde nous obéissait au doigt et à l'œil. Anthony a envoyé une pichenette à son ailier droit, pas loin du centre. Il n'y avait rien entre lui et mes buts. Il a tiré. Comme on a le droit de bouger son gardien pendant que l'autre tire, j'ai vite posé ma statuette de saint Gérard Majella dans les buts. Le ballon a heurté le crâne posé aux pieds de saint Gérard et a rebondi à l'autre bout du terrain, dans la surface de réparation d'Anthony.

— Hé ! C'est quoi cette embrouille ?

— Le résultat de mes prières.

— On ne prie pas, au foot.

— Je regrette, les Brésiliens n'arrêtent pas de prier. Ils font leur signe de croix à tout bout de champ.

— Mais les saints ne descendent pas sur le terrain pour shooter à leur place.

— Qu'est-ce que tu en sais ? C'est toujours eux qui gagnent, je te signale.

— Si tu prends ton saint, alors j'ai le droit de prendre mon Action Man.

Et Anthony a bloqué l'entrée de ses buts avec Action Man.

– Hein ? Je vois pas le rapport. On peut prier un saint, pas une poupée.

– Action Man n'est pas une poupée.

– Une poupée est une poupée. Et Action Man, désolé de te le dire, c'est rien qu'une poupée !

– Il a un grappin.

– Alors admettons que c'est une Barbie avec un grappin.

– Comment ça, une Barbie ? C'est un mec ! Il a des mains spécialement faites pour s'accrocher n'importe où.

– Saint François savait parler aux animaux.

– Cet imbécile de docteur Dolittle aussi. Tu comptes le faire jouer sur l'aile gauche ?

On était tellement absorbés par notre discussion qu'on n'a pas entendu les pas dans l'escalier. Et quand la porte s'est ouverte, c'était trop tard. Papa a fixé le Subbutéo en disant :

– D'où sortez-vous ce jeu ?

Anthony ment tellement vite qu'on croirait la vérité, en légèrement floue.

– Je l'ai gagné.

– Où ça ?

– En cours de dessin.

Il venait de passer la vitesse supérieure. Stupéfiant.

– En cours de dessin, tiens donc. Tu as peint la chapelle Sixtine ou quoi ?

– Non, j'ai fabriqué une maquette.

— Une maquette de quoi ?

— Tu sais… comment ça s'appelle, déjà ? L'Île au Trésor. Impeccable. Parfaite. C'était la meilleure.

— Parfaite. La meilleure.

Papa a répété ces deux mots lentement, comme si c'était son parfum préféré. Il était fichu. Les mensonges d'Anthony, c'est ça : à la fois rapides et savoureux. Les gens ont envie de les avaler. Papa m'a regardé. J'ai fait mon saint Roch. Il n'y a pas de patron pour les menteurs. Quand on ment, on doit se débrouiller tout seul.

Aquatiquement parlant, on commençait à naviguer en eaux troubles. À la première occasion, je me suis retiré dans mon ermitage pour réfléchir à la situation. J'ai emporté mon saint François pour qu'il m'aide à faire le point. Malheureusement, Anthony était passé avant moi. L'endroit était jonché de biens matériels : à savoir les deux microscooters (cabossés) et l'Airbazooka. Tant qu'ils seraient là, aucune chance de recevoir la visite d'un saint.

Je suis allé chercher le plaid écossais dans le coffre de la voiture et j'ai tout recouvert de façon à ce que ça ressemble à un divan. C'était toujours mieux qu'un étalage de jouets. J'ai installé la statue de saint François dessus, pour qu'il me voie d'en haut. C'était celle où il tient un nid d'oiseau dans ses mains. Juste après l'avoir posée, il m'est venu une idée.

J'ai été prendre une poignée d'argent dans le sac

qui était sous le lit, sans oublier de refermer la fermeture Éclair après, et j'ai repoussé le Subbutéo devant. Ensuite je suis parti à Shopping City. Juste à l'entrée, il y a une ancienne piscine qu'ils ont transformée en magasin d'animaux. Il y a un énorme poisson-chat dans le bassin des bébés, et des carpes d'ornement dans le bassin principal. Quand on met la main dans l'eau, elles s'approchent pour qu'on leur caresse la tête. Les vendeurs prétendent que c'est en signe d'amitié. Mais si ça se trouve, c'est juste parce qu'elles ont envie de sortir de là. Allez savoir, avec les poissons.

Tout autour de la piscine, à l'emplacement des anciens vestiaires, ils ont mis les oiseaux. Des centaines et des centaines d'oiseaux empilés les uns sur les autres dans des petites cages. Ça fait un bruit terrible – pas parce qu'ils chantent mais à cause de leurs ailes qui battent, comme si on feuilletait des milliers de livres à la fois. J'ai demandé au vendeur si je pouvais en acheter quelques-uns.

– Bien sûr. Lesquels tu veux ? On a des bengalis zébrés…

– Ouais.

– Et nos canaris sont gais comme des pinsons, ha ! ha !

– Alors d'accord, j'en veux bien deux ou trois.

– Nous avons également des perruches ondulées et des loriquets.

– C'est tentant aussi.

— À toi de faire ton choix.

Mais ce qu'il y a de bien quand on est riche, c'est qu'on n'a pas à faire de choix.

— Je crois que je vais prendre un petit assortiment de chaque.

Le type n'a pas eu l'air très sûr, alors je lui ai montré mon argent. Du coup, il a franchement fait une drôle de tête. J'ai dit :

— On me l'a donné à la mort de ma mère.

Il est aussitôt allé chercher un caddie et on a fait le tour de la piscine ensemble. Quand on achète un oiseau, ils vous le mettent dans une petite boîte, un peu comme une boîte à gâteaux avec des trous. J'ai essayé d'en prendre un dans chaque cage. Le choix n'était pas facile mais j'ai demandé conseil et j'ai fait de mon mieux. À la fin, je me suis retrouvé avec deux douzaines de boîtes d'oiseaux et plus un sou en poche.

Le vendeur m'a accompagné jusqu'à la sortie avec le caddie.

— Il faudra nous le rapporter, hein ? C'est loin chez toi ?

— Oh, non… Je vous le ramène dans cinq minutes.

J'ai traversé la rue en poussant mon chariot, ensuite j'ai pris le raidillon qui montait jusqu'à la colline. Une fois arrivé en haut, j'ai aligné toutes les petites boîtes. J'en ai ouvert une, puis deux. Il ne s'est rien passé. En fait, il faut incliner la boîte quand on l'ouvre. Comme ça l'oiseau déplie ses ailes, il tend le cou et il s'envole. J'en ai donc ouvert une troisième en l'inclinant, et puis une autre, etc. Les oiseaux jaillissaient des boîtes, on aurait dit un feu d'artifice. Les perruches partaient comme des fusées. Les bengalis s'élevaient comme des fontaines d'étincelles. Les loriquets s'envolaient en poussant des cris et ils se poursuivaient les uns les autres en tournoyant. Le ciel était rempli de couleurs et de chants.

Au cas où vous ne le sauriez pas, c'est ce que saint François a fait lorsqu'il avait mon âge (c'est-à-dire en 1190). Il a acheté des oiseaux sur le marché et il leur a rendu la liberté. Je venais donc de me comporter comme un saint. La différence, c'est que saint François n'avait pas de caddie, il n'a sûrement pas relâché autant d'oiseaux que moi. Techniquement parlant, j'étais donc plus saint que lui. Les perruches sont passées au ras de ma tête, comme pour me remercier. Et puis elles sont remontées en laissant des traînées de couleur dans le ciel.

Je me suis retourné pour les suivre des yeux, et c'est là que j'ai vu un homme derrière moi. Il portait une vieille robe de chambre marron, il était chauve et il avait un gros trou au creux de chaque main. Il m'a dit :

— Hmm, voilà qui me rappelle quelque chose.

J'ai demandé :

— Saint François d'Assise (1181-1226) ?

— J'ai fait la même chose, tu sais.

— Oui, je sais. C'est ce qui m'a donné l'idée de faire ça.

– En ce qui me concerne, il s'agissait surtout de merles et de moineaux. De mon temps, on ne trouvait pas d'oiseaux exotiques ni toutes ces fantaisies.

– Vous ne connaîtriez pas une sainte Maureen, par hasard ?

– Non. Franchement, je ne vois pas.

– Ah.

– Mais il faut dire que j'ai été assez débordé ces derniers temps. J'ai pris beaucoup d'importance au fil des siècles. Avec tous ces problèmes d'environnement, le tiers-monde, les droits des animaux, et maintenant les musulmans, je ne sais plus où donner de la tête. À propos, tu sais que j'ai rencontré le sultan ?

– Oui, à Acre, en 1219. Vous avez marché sur des charbons ardents sans vous faire mal.

– Surtout n'essaie pas de faire la même chose.

Les perruches sont redescendues en piqué et nous ont frôlé la tête avant de repartir en direction de la ville. On a marché dans leur sillage, sans se presser. En bas, on voyait la rivière boueuse et la ville qui s'agglutinait au bord, et la raffinerie de pétrole avec ses panaches de fumée jaune vif. Et tout au fond, le pont Widnes-Runcorn qui s'élevait comme une grande échelle montant droit au paradis.

– J'ai été le premier poète vernaculaire d'Europe. Et aussi le premier écologiste. J'ai commencé exactement comme toi. En rendant la liberté aux oiseaux.

– Qu'est-ce que vous avez fait après ça ?

– Eh bien…

De la main, il a montré Shopping City. Un bus s'est arrêté devant et une foule de gens s'est avancée pour monter dedans à la queue leu leu.

– … j'ai secouru les pauvres.

– Mais oui, bien sûr ! C'est génial. Merci.

Je suis rentré chez moi en courant tout le long du chemin.

10

Le pont qui relie Widnes à Runcorn – de son vrai nom le pont du Jubilée – est un pont en arc à deux articulations construit en 1961. Bien entendu, ce n'est pas une échelle pour monter au ciel. Mais ça ne veut pas dire pour autant qu'une telle échelle n'existe pas. Il y en a bien une. C'est dans la Genèse, chapitre XXVIII, verset 12.

Chaque fois qu'on fait une bonne action, on grimpe un échelon. Bon. Avec 229 000 livres, on peut donner 500 livres à 458 pauvres, et 458 bonnes actions égalent 458 échelons – ce qui fait une belle ascension. Le temps qu'on distribue tout, on serait presque aux portes du paradis et bien parti pour la canonisation. J'ai décidé de parler de cette merveilleuse perspective à Anthony.

Je l'ai trouvé derrière la télé, en train d'installer un nouveau décodeur Digibox.

– Anthony, j'ai dit, tu n'as jamais l'impression que l'argent est une chose creuse et sans signification ?

– Comment ça, sans signification ? Ça signifie qu'on est riche !

– Mais qu'est-ce que ça nous apporte, à part des tonnes de trucs ?

Il a allumé la télé et s'est mis à zapper pour vérifier que toutes les nouvelles chaînes y étaient.

– Et voilà : trente-trois de plus !

Ensuite il s'est assis pour regarder le Championnat international des camions monstres – ceux qui ont des roues de dix mètres de haut.

– Tu ne crois pas que papa va remarquer qu'on a trente-trois chaînes de télé en plus ?

– Papa ne remarque jamais rien.

Les camions monstres, c'était bien mais ça n'avait pas beaucoup de sens non plus.

– Imagine si on était des saints.

– Pourquoi faire ?

– Je trouve qu'on devrait distribuer cet argent aux pauvres. On en a assez pour donner 500 livres à 458 personnes – qui du coup ne seraient plus pauvres. Et nous, on deviendrait des saints. Ce serait top, non ? Quand on est saint, on peut traverser les flammes ou faire des miracles ou se laisser pousser la barbe comme Wilgefortis.

– Ça n'a rien d'extraordinaire, de se laisser pousser la barbe.

– Oui, mais Wilgefortis était une femme. Elle a fait ça pour échapper aux ardeurs malvenues de certains mâles.

Le mâle en question, c'était en l'occurrence le roi de Sicile. Le père de Wilgefortis voulait qu'elle l'épouse.

Quand elle s'est réveillée un beau matin avec une barbe, le roi de Sicile a changé d'avis – ce qui répondait parfaitement à ses prières. Son père l'a quand même fait crucifier à cause de ça.

– Allez, c'est une idée géniale ! j'ai dit à Anthony.

Il a secoué la tête.

– C'est peut-être génial mais pas tellement pratique. Tes 458 pauvres, tu vas les trouver où ?

– Il y a des milliards de pauvres sur terre ! Il n'y a qu'à voir à la télé.

– À la télé peut-être, mais pas dans notre quartier. Il n'y a pas de pauvres, par ici. Le prix de l'immobilier est prohibitif.

Il m'a expliqué qu'on estimait la valeur des maisons en fonction de leur emplacement.

– Ici on vit dans une résidence haut de gamme, ça implique qu'il n'y a pas de pauvres. Il n'y a que les gens bien qui peuvent se permettre d'habiter dans le coin, tu l'as sûrement remarqué. C'est pas comme là où on habitait avant.

Il avait raison. Du temps de saint François, il y avait des lépreux, des mendiants, des gueux, des orphelins et des jeunes femmes obligées de vendre leur vertu à chaque coin de rue.

À notre époque, vous pouvez aller de la rue Cromarty à l'école primaire de Great Ditton, vous ne croiserez jamais une seule jeune femme obligée de vendre son honneur, même en faisant le trajet cinquante fois par jour.

– Pour ma part, j'ai une solution beaucoup plus pratique.

– Vas-y.

– On achète une maison.

– Mais on ne peut pas tout dépenser comme ça ! Cet argent nous a été donné dans un but plus élevé.

– Attends, je t'ai pas dit le plus beau. Quand on achète une maison, ça ne s'appelle pas une dépense mais un investissement. Le prix des maisons n'arrête pas d'augmenter. Si tu achètes une maison aujourd'hui, mettons 150 000 livres, dans dix ans elle en vaudra peut-être le double. Du coup, tu feras un bénéfice de 150 000 le jour où tu voudras la revendre. C'est ce qu'on appelle le capital. Tu as déjà entendu parler de ça, non ?

– Je n'ai pas envie de capital.

– Mais ce serait super ! On se débarrasse de tout l'argent d'un seul coup, et quand on sera plus vieux, on vendra la maison et on sera encore plus riche que maintenant. Et entre-temps, on aura un endroit pour ranger toutes nos affaires au lieu de les entasser dans ta tanière en carton.

Une fois de plus, j'ai essayé de lui expliquer la différence entre une tanière et un ermitage mais je me suis heurté à un mur.

Anthony est entré dans l'agence immobilière comme dans une boutique de bonbons et il est allé direct au comptoir en disant :

– Avez-vous des maisons à vendre à Swindon ?

Mon frère adore Swindon parce que c'est le quartier où les prix grimpent le plus vite.

– Non, désolée, a répondu la femme. Nous travaillons exclusivement sur ce secteur. En règle générale, nos clients souhaitent rester dans le même quartier quand ils cherchent un nouveau logement.

– Ce serait pour un portefeuille d'investissement.

– Oh, je vois… Tu prépares un exposé pour l'école, c'est ça ?

Anthony s'est immédiatement lancé dans une histoire d'exposé imaginaire, de maîtresse imaginaire et d'école inexistante. Franchement, si c'était lui qui racontait l'histoire, vous auriez du mal à démêler le vrai du faux.

La dame a été très gentille. Elle lui a expliqué le système des emprunts et lui a donné une pile de documentation sur les propriétés à vendre, pour la plupart des pavillons récents avec trois chambres à coucher.

– Et si on ne veut pas faire d'emprunt ? Si on veut payer en espèces ?

– Dans ce cas, je te conseille de te munir d'une brouette et d'un solide garde du corps.

Anthony s'est mis à rire. Après coup, je lui ai demandé ce qu'il y avait de drôle. C'était soi-disant parce que c'est dur de transporter autant d'argent à la fois.

– Si les gens savaient comme ça tient peu de place, 229 000 livres, a soupiré mon frère.

À peine rentré à la maison, il s'est mis à feuilleter les brochures de l'agence pour essayer de trouver une maison pas trop près de chez nous (au cas où papa aurait des soupçons) mais pas trop loin non plus (pour qu'on puisse garder un œil dessus).

J'ai dit :

— C'est nul, Anthony. On n'a pas besoin de maison, on en a déjà une. Quel intérêt d'en avoir deux ? Réfléchis un peu.

Il m'a montré une annonce où on voyait la photo de notre ancienne maison. Dessous, c'était écrit : « Propriété de caractère avec éléments d'époque, dont entourage et garnitures de cheminée, située dans un quartier résidentiel traditionnel. Deux chambres, double réception, cuisine et buanderie indépendante. » Et c'était tout. Pas un mot sur nous ou sur ce qui s'était passé là-bas. À part l'adresse, rien n'indiquait que c'était notre maison.

J'ai demandé pourquoi personne ne l'avait achetée.

— Parce que personne n'en veut. J'ai dit à papa de la louer à des étudiants. Mais il s'en fiche. L'assurance a couvert l'emprunt.

— Quelle assurance ?

— Laisse tomber. Tiens, regarde ça. 17 sente du Blaireau, bien situé, à proximité de Shopping City.

Si 229 000 livres égalent 458 barreaux sur l'échelle du paradis, dépenser 229 000 livres pour une maison revient forcément à dégringoler de 458 échelons. Les agents immobiliers n'ont pas de saint patron. Pour la simple raison qu'aucun agent immobilier n'a jamais été canonisé. Il y a des saints qui étaient marins, forgerons, soldats, boulangers, professeurs, femmes au foyer, éleveurs de cochons et même rois. Mais, dans toute l'histoire de l'humanité, on n'a jamais vu d'agent immobilier devenir saint ou même bienheureux. Ça laisse songeur.

J'ai déjà entendu des gens dire qu'ils faisaient naufrage, mais je croyais que c'était une métaphore. Quand le taxi est venu nous prendre à la sortie de l'école et qu'Anthony lui a dit de nous conduire au 17 sente du Blaireau, j'ai eu un haut-le-cœur, exactement comme dans les ascenseurs. Le taxi a dévalé des tas de rues en pente pour arriver dans la vieille ville. Ça n'en finissait pas de descendre. Les maisons de la sente du Blaireau étaient encore plus dénuées de sainteté que la nôtre. Elles avaient de grandes baies vitrées avec des grilles devant, des sapins autour et un accès direct à l'autoroute. La dame de l'agence attendait déjà devant le numéro 17.

Anthony a sauté du taxi et il lui a serré la main.

– On n'a pas l'argent sur nous mais on vous le donnera quand vous passerez à la maison.

– Vraiment ? a dit la femme.

Elle n'avait pas l'air aussi aimable que dans la boutique.

– Écoute, je t'ai déjà donné un coup de main pour ton exposé, mais il faudrait voir à ne pas abuser. Je trouve ça un peu gonflé. D'ailleurs je vais téléphoner à ton école pour en parler au directeur.

– Non, attendez. Ce n'est pas pour un exposé, c'est pour notre portefeuille d'investissement – enfin celui de mon père. On a – enfin il a – vraiment l'intention d'acheter une maison.

– Très bien. Et où est-il ?

– Il a dit de commencer sans lui.

– Comment ça ? Je ne peux pas faire visiter une maison à quelqu'un qui n'est pas là !

Anthony a sorti son appareil numérique déguisé en stylo.

– Il m'a donné ça pour qu'on prenne des photos. On les lui montrera en rentrant.

La femme a regardé sa montre, et puis elle a ouvert la porte.

– Vous avez de la chance que j'aie envie d'aller aux toilettes. Entrez deux secondes.

Anthony lui a demandé si la maison était un placement sûr.

– J'aimerais bien faire pipi en paix, si ça ne te dérange pas ! elle a crié à travers la porte.

En attendant, on est allé jeter un coup d'œil à la baignoire encastrée de la suite parentale.

On a entendu la chasse d'eau et la dame qui disait :

– Allez ouste ! Dehors, vous deux.

Et elle a ouvert la porte d'entrée en grand pour nous laisser sortir.

— Je vous en offre 210 000, *cash*, a dit Anthony. Ne vous inquiétez pas, il n'y a pas d'embrouille. Alors, qu'est-ce que vous en dites, marché conclu ?

Mon frère m'a souvent expliqué que les gens étaient prêts à faire n'importe quoi pour de l'argent liquide. En toute logique, je m'attendais donc à ce qu'elle réponde : « Oh ! Bien sûr, merci beaucoup. Elle est à vous. » Mais non. Elle a toisé Anthony en disant :

— Petit con.

Après quoi elle est partie au volant de sa Nissan Micra.

Seule explication : une intervention divine.

De la sente du Blaireau à Shopping City, il y avait un bon bout de chemin et on n'a pas croisé un seul bus ni un seul taxi. En plus il n'y avait même pas de trottoir digne de ce nom et il commençait à faire nuit. Mais j'étais heureux. Les phares qui arrivaient en face de nous dansaient comme des lucioles. J'ai vu passer une perruche ondulée. Elle a traversé la lumière du réverbère comme une languette de feu. J'aurais bien voulu dire quelques paroles réconfortantes à Anthony, mais tout ce qui m'est venu à l'esprit c'est :

— Je meurs de faim. On peut s'acheter une pizza ?

— On peut même s'acheter la pizzeria avec, si on veut.

— Pour l'instant, une pizza suffira.

À ce moment-là, juste devant chez Dixons, encore un miracle. Une fille en parka s'est avancée vers nous en disant :

– Tirage spécial ! *Les Échos du pavé*. Pour aider les sans-abri.

Je lui ai donné un billet de dix et je lui ai dit de garder la monnaie.

– Merci, mon pote. J'ai rien mangé de la journée.

– Oh. Ça tombe bien, on allait justement chercher une pizza, viens avec nous.

– Super !

La fille a ramassé sa sacoche de journaux. Elle était prête à nous suivre mais Anthony n'a pas eu l'air d'accord.

– Elle veut pas de pizza, c'est clair. Elle va encore nous demander de l'argent. Et de l'argent, on n'en a plus. Salut.

– Si, je t'assure, j'ai vraiment envie d'une pizza. Je peux dire à mon copain de venir aussi ?

Elle a fait signe à un garçon accroupi avec un chien, dans le renfoncement d'une porte.

– Bien sûr ! j'ai dit. Plus on est de fous plus on rit.

La fille a rencontré cinq copains entre Dixons et Pizza Hut. Le serveur a été obligé de rapprocher deux tables pour qu'on puisse tous tenir. Et comme il n'y avait pas assez de menus, il y en a deux qui ont dû lire sur le même. Ici, ils font une pizza qui va vraiment jusqu'au bord du moule, ce qui fait qu'elle a deux centimètres de diamètre de plus qu'une pizza normale.

Ils appellent ça une Borabor. J'ai choisi une Borabor hawaïenne et la fille en parka aussi. Deux de ses copains ont pris une Borabor campagnarde. Le troisième a choisi bœuf épicé. Anthony et les deux autres, festin de viande. On a tous pris du pain à l'ail avec supplément d'ail. Et on est tous allé au buffet des salades composées. C'était fou. Je n'avais jamais vu autant de nourriture depuis ma première communion. En attendant, six repas égalent six bonnes actions, égalent six barreaux.

J'ai dit :

— C'est super ! Anthony m'expliquait qu'il n'y avait pas de pauvres dans le coin à cause du prix des maisons, mais, avec vous, ça en fait déjà pas mal, finalement.

Après ça ils ont tous voulu un dessert. Anthony était contre, mais il n'avait pas encore vu l'usine à glaces : c'est une grosse machine jaune où on va se servir soi-même, et ensuite on rajoute des copeaux de chocolat ou des milliers de marshmallows microscopiques, et trois sortes de sauces différentes. C'était vraiment top. Je me suis demandé si les desserts constituaient une bonne action à part entière, en plus des pizzas. Auquel cas on en serait déjà à douze barreaux.

— Tu vois, j'ai dit en montant dans le bus, on a secouru des pauvres et on a goûté à tous ces petits bouts de marshmallow. On devrait faire ça tous les jours.

L'addition s'était montée à cent soixante-quinze livres. Anthony a sorti sa calculette pour savoir combien de fois il faudrait y retourner pour se débarrasser de notre argent.

– Ça fait 1 303,517. Si on compte les pourboires, ça donne 1 300 virées chez Pizza Hut. Et tu sais combien il nous reste de jours pour tout écouler ?

La réponse était douze.

Quand on y pense, douze jours c'est quand même beaucoup. J'ai eu une idée géniale. Et sans l'intervention de certaines personnes, elle aurait très bien pu marcher.

Les Saints des Derniers Jours étaient tous habillés pareil : chemise blanche et veste noire. Et ils portaient tous la même petite valise noire, très chic. Ils partaient de chez eux ensemble et ils marchaient en file indienne. Quand on les croisait, ils nous faisaient un petit signe de tête, l'un après l'autre, comme des canards sur un stand de tir. Anthony trouvait qu'ils en faisaient un peu trop.

– Regarde-les, on dirait des pingouins dans une cour de récré. Tu sais où ils vont, comme ça, avec leurs valises ?

– Bien sûr ! Ils vont aider les pauvres, non ?

Je n'y avais jamais pensé mais ça m'a paru évident, tout d'un coup. Ce n'était pas pour rien qu'ils s'appelaient Saints des Derniers Jours. Donc j'ai répété d'une voix ferme et convaincue :

— Ils vont au secours des pauvres gens.

— Pas du tout. Ils vont à la laverie automatique.
Regarde.

C'était vrai. En regardant bien, on voyait toujours
un bout de linge blanc dépasser de leur belle valise
noire. Conclusion : ils n'avaient pas de machine à
laver et pas de voiture. Ils vivaient sous le même toit
et se promenaient tous ensemble, comme les douze
apôtres. En un mot comme en cent, ils représen-
taient autant de barreaux qui ne demandaient qu'à
être escaladés. D'où mon idée de génie : donner tout
notre argent aux Saints des Derniers Jours.

Le lendemain, après l'école, je suis allé m'asseoir
sur leur muret et j'ai attendu jusqu'à ce qu'il y en ait
un qui rentre.

— Excusez-moi, j'ai dit, est-ce que vous aidez les
pauvres ?

— Hein ? Quels pauvres ?

Il avait un fort accent, comme certains joueurs de
foot. Il devait être suédois ou hollandais.

— N'importe lesquels.

— Tu veux de l'argent, c'est ça ?

— Non.

— Écoute, on n'a pas de liquide chez nous. Ce n'est
pas parce qu'on est bien habillé qu'il faut se faire
des idées. Nous vivons très simplement. Pas de lave-
vaisselle. Pas le câble. Pas de micro-ondes — personnellement, je ne vois vraiment pas pourquoi —

et comme tu peux le constater, pas de voiture non plus.

— Donc vous êtes pauvres ?

— Dans un sens, oui.

Ce soir-là, comme c'était mon tour de sortir les poubelles, j'en ai profité pour aller fourrer quatre mille livres dans leur boîte aux lettres. Au bout de quelques centaines, j'ai réalisé que ça allait me prendre un temps fou, alors j'ai prié pour que quelqu'un me vienne en aide et saint Nicolas s'est pointé. Il m'a expliqué que c'était plus simple de faire passer tout ça par la cheminée. Je lui ai expliqué le principe du chauffage solaire. Au bout de quatre mille livres, saint Nicolas a commencé à se lasser et à se fâcher. Il faut le comprendre : pour lui, c'était la période la plus chargée de l'année. Il m'a dit :

— *Noli sollicitum esse. Pauperes semper nobiscum erunt.* (Ne t'inquiète pas. Les pauvres seront toujours à nos côtés.)

Là-dessus, on est reparti ensemble vers la maison. Je lui ai demandé si, par hasard, il n'aurait pas croisé une certaine sainte Maureen.

— *Quis ?*

— Maureen.

— *Dubito, etsi raro in publicum prodeo.* (Je ne crois pas, mais il faut dire que je ne sors pas beaucoup.)

— Sauf à cette époque de l'année, bien sûr.

— *Sane.*

En admettant que cinq cents livres égalent un barreau, alors quatre mille livres égalent huit barreaux. Et en prime, j'ai aidé saint Nicolas dans sa tournée. La classe !

J'avais le vent en poupe. Je n'ai même pas été surpris en voyant un autre barreau se matérialiser dans la cour de récré, avant le début des cours. Au deuxième coup de sifflet, on s'est vite mis en rangs et je me suis retrouvé devant Barry. Il s'est penché et m'a glissé à l'oreille :

– Pringles.

Je les lui ai passés. La fille avec les jolis épis de blé dans les cheveux était dans la file d'à côté.

– T'es pas capable de les acheter toi-même, tes Pringles ? qu'elle lui a dit.

– Pas la peine, puisque les autres en ont !

Barry a fait sauter le couvercle en me faisant un clin d'œil.

C'est ce clin d'œil qui m'a donné une idée. Je me suis dit : « Tiens, encore un barreau ? » Dans la foulée, j'ai demandé à Barry s'il était pauvre. Depuis son clin d'œil, il n'avait pas encore complètement relevé la paupière. Elle a papillonné un peu, puis elle s'est soulevée très, très haut et son œil m'a fixé, tout écarquillé.

– Hein ?

– Est-ce que tu es pauvre ?

Il m'a envoyé son poing dans la figure. J'ai pensé à tendre l'autre joue. Il m'a frappé à l'estomac et je me suis assis par terre pour reprendre mon souffle. Il m'a mis sa chaussure sous le nez en disant :

— Tu vois ça ? Y'a écrit quoi, dessus ?

J'ai dit :

— Rockport.

— À ton avis, est-ce que j'aurais des Rockport si j'étais pauvre ?

Il m'a filé un coup de pied et je n'ai pas pu respirer pendant ce qui m'a paru un long week-end.

Ça pourrait passer pour un fiasco, mais tout dépend de la façon dont on voit les choses. Dans le cas présent, c'est vrai que je n'ai aidé aucun pauvre. Mais j'ai essayé, c'est ce qui compte. Et ça mérite bien un barreau. D'autant plus que j'ai souffert et qu'on m'a persécuté. Ça, c'est carrément fantastique. Au moins cinq barreaux, non ? En attendant, j'étais allongé sur le ciment et je commençais à me sentir un peu flottant, comme si j'étais en train de monter doucement au ciel. Anthony m'a expliqué que c'était dû au changement de pression dans ma tête et au sang que j'avais perdu par le nez.

À la vue du sang, justement, la fille aux jolis épis de blé s'est mise à hurler. M. Quinn est arrivé en courant. Barry n'arrêtait pas de répéter :

— Vous savez c'qui m'a dit ? Vous savez c'qui m'a dit ?

M. Quinn l'a envoyé chez le directeur et il a demandé à la fille aux épis de blé de m'emmener dans un coin tranquille et de rester auprès de moi en attendant que je retrouve ma stabilité. Elle m'a apporté un verre d'eau et s'est assise près de moi pour bavarder. Elle m'a dit qu'elle s'appelait Gemma et elle m'a posé des tas questions du style : « Ton frère, il est pour quelle équipe ? » et « Il aime quel genre de musique, ton frère ? » et « Est-ce que ton frère va parfois à la piscine le samedi matin entre huit et dix ? Parce que c'est gratuit avec le pass-sport. T'auras qu'à lui dire, hein ? »

En rentrant à la maison, j'ai demandé à Anthony ce que les Rockport avaient de spécial.

– Les Rockport ? Bonne idée, on va s'en acheter une paire !

– Mais pourquoi ?

– Parce que c'est trop bien. Tu rentres les lacets à l'intérieur au lieu de faire un nœud. C'est branché à mort, les Rockport !

– Et ça fait vachement mal quand on reçoit un coup de pied avec.

– Ouais. On va s'en acheter.

Ça peut paraître bizarre mais il y a vraiment eu une sainte Gemma. Elle s'appelait Gemma Galgani (1878-1903). C'était une extatique qui a poussé la pauvreté jusqu'à l'héroïsme. Sa fête tombe le 11 avril. J'étais dans mon ermitage, en train de m'interroger sur la pauvreté héroïque, quand j'ai entendu crier :

– Y'a quelqu'un ?

J'ai passé la tête dehors et j'ai aperçu un homme. Il portait une veste Tommy Hilfiger et une barbe de trois jours. Sur le coup, il m'a fait penser à saint Damien de Molokai – un garçon un peu brutal mais très gentil. Mais ça ne collait pas avec la veste Hilfiger. Et comme il ne pouvait pas s'agir de Gemma Galgani, j'ai dit :

– Je ne vois pas qui vous êtes.

– Je peux en dire autant, il m'a répondu.

J'ai voulu le regarder droit dans les yeux, mais je me suis rendu compte qu'il avait un œil qui regardait bien en face et l'autre qui partait sur la gauche. Du coup, je ne savais plus lequel fixer.

– C'est à toi ? il m'a demandé en montrant l'ermitage.

J'ai fait oui.

– Charmant. Tout près de la voie ferrée. Qu'est-ce qu'il y a à l'intérieur ?

Il s'est penché pour jeter un coup d'œil. Il n'a pas remarqué les microscooters ni l'Airbazooka, parce qu'ils étaient toujours sous le plaid écossais, mais il a commencé à fouiller à tâtons et il est tombé sur le petit tube.

– Qu'est-ce que c'est que ça ?

– De la crème teintée hydratante.

Il a hoché la tête et a regardé dans le vague. Ensuite il m'a lancé le tube.

– Qu'est-ce que vous voulez ?

– De l'argent. Ça te dit quelque chose ?

Génial ! C'était la deuxième occasion de la journée. Je lui ai demandé s'il était pauvre.

– Hein ?

Au même moment, on a entendu une sorte de grésillement et une voix qui crachotait :

– Damian, Damian…

Ça m'a fait légèrement sursauter, mais le barbu a carrément fait un bond.

– Merde ! C'est quoi ?

Je lui ai montré ma montre talkie-walkie.

– C'est mon frère. Faut que j'aille mettre la table, c'est mon tour. Attendez-moi.

– Pas question. Tu restes ici et…

– Non, je vous promets, je reviens avec dans trois minutes.

– Avec quoi ?

– L'argent. J'en ai des tonnes.

Et je suis parti en courant.

Anthony était dans le jardin parce que nos montres talkie-walkie ne marchent pas à travers les murs. Enfin si, ça marche mais on capte Radio Rose Rouge. Il était appuyé à la barrière et il regardait en direction de la voie ferrée. De là, on distinguait vaguement le barbu, debout sur le remblai.

– Qui c'est, ce type ?

– Un pauvre. Un de plus. Quand je pense que tu prétendais qu'il n'y en avait pas !

– Qu'est-ce qu'il attend ?

– Que je lui donne de l'argent, tiens.

J'allais rentrer à la maison mais Anthony m'a retenu par le bras.

– Qu'est-ce que tu lui as dit, au juste ?

– Qu'on avait des tonnes d'argent.

– Doux Jésus, Damian !

– Quoi ?

– Rien. T'occupe. Laisse-moi faire.

Anthony est allé chercher la grande bouteille où on mettait toute la petite monnaie. Elle pesait une tonne.

– On va lui donner ça.

– On ne pourrait pas ajouter quelques petits billets ? Disons cinq cents livres.

– Non.

– Pourquoi ?

– Je t'expliquerai plus tard. Viens.

On est retourné près de la voie ferrée. Le barbu nous attendait. Quand Anthony lui a tendu la bouteille, il s'est contenté de la fixer sans rien dire. Ou peut-être qu'il me regardait moi. Allez savoir.

– Vous voyez ? a dit Anthony. Il y a plein d'argent là-dedans. Ça fait des années qu'on économise. Par bonté. Pour les pauvres. Tenez.

Le type n'a pas fait un geste. Anthony a posé la bouteille dans l'herbe.

– Faut qu'on y aille, maintenant. C'est l'heure du dîner.

Le type n'a pas dit un mot, pas touché à la bouteille. Il nous a simplement regardés partir à travers champ.

– À mon avis, on ne lui a pas donné assez.

– Mais si ! Viens, on va faire le tour par-devant. Je ne tiens pas à ce qu'il sache à quel numéro on habite.

– Pourquoi ?

– Parce que c'est dangereux, Damian ! Il faut qu'on soit prudent. Il y a plein de rapaces en ce bas monde. L'argent pousse les gens à faire des trucs bizarres, parfois. Il faut qu'on se montre prudent, compris ? Est-ce que tu en as parlé à quelqu'un d'autre ?

– Non… Pas vraiment.

– Comment ça, pas vraiment ?

– J'ai essayé de bien faire.

– Damian…

Il s'est arrêté net. On venait juste de déboucher en haut de la rue Cromarty quand un taxi nous a dépassés et s'est arrêté un peu plus loin. Les Saints des Derniers Jours en sont sortis à la queue leu leu. Eux et leurs derniers achats. Il y en avait un qui portait un micro-ondes, un autre un mixeur, un autre un jacuzzi pour les pieds. Anthony était tellement furieux qu'il s'est assis sur le muret.

Dommage qu'il ait fait ça, d'ailleurs. S'il était rentré directement à la maison, il n'aurait pas vu la camionnette de chez Barty s'arrêter devant chez eux pour décharger le lecteur DVD, le lave-vaisselle, la Gamecube et les deux écrans plasma. Ce qui le faisait enrager, ce n'est pas tant que je leur aie donné de l'argent, mais qu'ils aient trouvé le moyen de le dépenser.

— Non mais regarde ça ! Et nous, qu'est-ce qu'on a récolté ? De la camelote. Des tas de saletés tout juste bonnes à refiler au Secours Catholique. Deux télés, un lave-vaisselle…

Il a continué à énumérer tout ce que nos saints voisins avaient acheté. Dix fois de suite. Comme un rosaire. Question mémoire, Anthony m'impressionnera toujours.

— Je ne pouvais pas savoir qu'ils achèteraient la télé. Je pensais qu'ils allaient le distribuer. Après tout, ils sont censés être saints, non ? Je croyais qu'ils donneraient l'argent aux pauvres. Je croyais qu'ils étaient pauvres eux-mêmes.

— Réfléchis deux secondes, Damian. Si tu donnes de l'argent à un pauvre, qu'est-ce qui se passe ? Il arrête de l'être. C'est une évidence. Et s'il n'est plus pauvre, il devient comme tout le monde.

C'est là que je me suis posé une question préoccupante : est-ce que le fait de donner de l'argent à quelqu'un le rend encore plus assoiffé d'argent ? Si c'est le cas, qu'est-ce qu'on peut en faire ? À quoi ça sert, l'argent ?

Après le dîner, on a entendu sonner à la porte Papa est allé ouvrir. C'était un des Saints des Derniers Jours — le dénommé Élie — avec une petite boîte entre les mains, la mine soucieuse. Avec Anthony, on faisait la vaisselle. On s'est regardé d'un air inquiet.

— Je parie qu'ils vont encore nous réclamer du fric, a grogné mon frère.

Élie a déclaré qu'il avait une idée à nous soumettre. Là-dessus, il a ouvert la boîte et en a sorti une minuscule caméra.

— Vidéosurveillance en circuit fermé. Ça se monte très facilement sur le linteau de la porte grâce au support que vous voyez là. Ensuite, il n'y a plus qu'à la connecter sur le poste de télé.

— Sur le ou les postes de télé ? a sifflé Anthony d'un ton amer.

Élie n'a pas relevé.

— Avec toutes ces histoires de cambriolage en perspective, nous avons pensé qu'il serait bon de nous protéger. D'ailleurs, Terry a repéré un individu louche qui rôdait dans les parages. Ce genre de caméra nous serait des plus utiles. Nous en avons acheté trois. Nous aimerions en placer une directement dans l'axe de la rue – c'est-à-dire d'ici jusqu'au portail du numéro 3. Votre porte d'entrée serait l'emplacement idéal. Seriez-vous d'accord pour aider notre communauté dans ce sens ?

J'ai dit :

— Vous avez peur d'être cambriolés ? Je croyais que vous vous moquiez des biens matériels ?

— Euh… oui, dans un sens, mais si nous ne préservons pas nos biens, nous soumettons les cambrioleurs à la tentation, pas vrai ? Et c'est un péché de céder à la tentation. En les en détournant, nous agissons pour leur bien. La caméra est livrée avec un projecteur halogène qui se déclenche automatiquement, ce qui a un effet dissuasif.

— Formidable, a dit papa.

Personnellement, je suis monté me coucher.

Pendant un bon moment, j'ai entendu papa monter et descendre de l'escabeau et percer des trous pour fixer la caméra de vidéosurveillance. Ensuite je me suis endormi. J'avais l'impression d'avoir dormi des heures quand je l'ai entendu nous appeler. Avec Anthony, on s'est précipité en bas pour voir ce qui se passait. Papa était surexcité.

— Tenez, asseyez-vous là, il nous a dit en montrant le canapé.

On s'est assis. Il a allumé la télé et a commencé à zapper.

— Une, deux, trois, quatre, cinq et maintenant…

Sur la 6, on voyait le portail du numéro 3 avec un saint Nicolas grandeur nature tout illuminé.

— Voilà. On vient de voir les chaînes hertziennes et les images du quartier retransmises par la caméra vidéo. Mais ça, on connaît déjà. Maintenant, attention !…

Il a fait défiler toutes les autres chaînes avec un sourire jusqu'aux oreilles.

Anthony s'est mis à sourire aussi.

— Bravo, papa ! Comment tu as fait ?

— J'ai juste réglé le canal du circuit fermé et hop !

c'est venu tout seul. Ça doit interférer avec le câble. Ça fait peut-être office d'antenne, je ne sais pas. Peut-être bien que c'est un miracle. Merci, mon Dieu.

C'était la première fois qu'on le voyait sourire depuis longtemps.

Je lui ai expliqué que sainte Claire était la patronne de la télévision.

— Si c'est un miracle, ça vient sans doute d'elle.

— Très juste. Merci, sainte Claire. Bon, qu'est-ce que vous voulez regarder ?

On a regardé la rediffusion du Championnat des camions monstres. Au bout d'un moment, on a réalisé que papa dormait comme une souche. On ne savait pas quoi faire de lui. Comme on ne pouvait pas le transporter dans son lit, on lui a enlevé ses chaussures et on l'a couvert avec la petite couette. On hésitait à laisser la télé allumée ou pas.

— Et si on lui disait, pour l'argent ? Juste histoire de lui remonter le moral.

— Si tu veux lui remonter le moral, raconte-lui plutôt une histoire drôle, a répondu Anthony.

Dehors, la lampe halogène n'arrêtait pas de s'éteindre et de s'allumer. Ça n'avait aucun effet dissuasif sur les chats.

11

Simple question de logique : si c'est mal de donner de l'argent aux gens, alors c'est bien de leur en retirer. Si c'est bien de prendre de l'argent aux gens, alors les cambrioleurs et les braqueurs de banque sont de braves gars, ce qui n'est pas le cas. Conclusion : ce n'est pas mal de donner de l'argent. Le tout, c'est de trouver la bonne personne à qui le donner.

Et pour ça, j'avais dix jours devant moi.

Toutes les semaines en cours de dessin, M. Quinn écrit un sujet au tableau et on doit faire un dessin, un collage, une maquette ou n'importe quoi. Le sujet de cette semaine, c'était : « Si je recevais un million d'euros à Noël ».

Merci, M. Quinn.

Les autres se sont rués sur la boîte de pailles en plastique – ce trimestre-là, c'était la grande mode des sculptures en pailles – et tout le monde s'est mis à faire des bateaux, des maisons, des voitures, tout ça, en pliant des tas de pailles. Personnellement, ça a été l'angoisse de la feuille blanche. Je l'ai regardée pendant si longtemps que j'ai cru que j'allais me faire engloutir par ce néant de blancheur polaire.

— Si tu sèches, je peux te faire un dessin.

C'était Tricia Springer, la meilleure de la classe.

— Sérieux ?

— Ouais, pas de problème. Je peux te dessiner un bateau ou une voiture ou une maison. C'est ce qui se fait le plus. Mais si tu préfères quelque chose de plus original, je peux te faire une fusée ou des chevaux ou un paysage sympa.

— J'arrive pas à me décider. Qu'est-ce qui te plairait, à toi ?

— Les chevaux, je sais les dessiner par cœur. Cinquante pour chaque.

— Comment ça ?

— Je te dessine un cheval pour cinquante livres, deux chevaux pour cent livres, un troupeau entier pour disons, trois cents. J'accorde un rabais au-dessus de six, parce que c'est pas la peine de dessiner toutes les pattes étant donné qu'on n'en verra qu'une partie.

— Pourquoi c'est si cher ?

— C'est pas cher ! L'autre jour tu as filé dix livres à un gamin pour aller te chercher ton plat à la cantine. Là, c'est mon talent que tu achètes. Et je te signale que je suis la meilleure en dessin.

— Quand tu m'as amené à l'école sur ton vélo, tu disais que tu n'avais pas besoin de dix livres.

— Les temps changent. Maintenant, avec dix livres

t'as plus rien dans cette école. À peine de quoi jouer dix minutes sur la Gamecube de Keegan. De toute façon, c'est comme tu veux. À prendre ou à laisser.

Je lui ai donné cent livres pour deux chevaux sans selle mais avec quelques montagnes à l'arrière-plan.

J'ai essayé de discuter de ça avec Anthony pendant la récré.

— C'est terrible. Tout le monde a de l'argent mais personne ne s'enrichit parce que tout est de plus en plus cher. Quand tu penses que Tricia m'a demandé cent livres pour un dessin ! Et au crayon feutre, en plus. Pour une peinture, elle voulait encore plus.

— Elle est douée, au moins ?

— C'est pas la question.

— Pour moi, si. C'est bientôt la fin du trimestre. Papa va sûrement vouloir voir ma maquette de l'Île au Trésor, celle qui m'a fait gagner le Subbutéo.

— En dessin, c'est la meilleure de la classe.

— C'est laquelle ?

Je lui ai montré Tricia Springer. Elle a fini par accepter cent livres pour la maquette, à condition qu'il lui en donne cinquante d'avance, même si la commande ne serait prête qu'en fin de trimestre.

— Ça vaut le coup, a dit Anthony. Qu'est-ce que tu penses de mes Rockport ?

Il m'a montré ses nouvelles chaussures. Des rouges, avec les lacets rentrés à l'intérieur. Je lui ai demandé :

— Tu ne crois pas que papa va s'en apercevoir ?

– Il ne remarque jamais rien. N'empêche que je ne suis pas sûr d'avoir fait le bon choix. Maintenant que tout le monde a du fric, tout le monde a des Rockport. Du coup, elles perdent de leur prestige.

– J'ai besoin de réfléchir sérieusement à tout ça, j'ai dit.

J'ai traversé la cour en baissant les yeux, et c'est comme ça que j'ai remarqué que j'étais le seul à ne pas avoir de Rockport aux pieds.

Après l'école, j'ai décidé de passer par l'ermitage avant de rentrer à la maison. Je me suis faufilé à travers le houx et là, je me suis arrêté net. Mon ermitage avait été rasé. Pas balayé par le vent ou abattu par la pluie. Non. Quelqu'un l'avait démonté pièce par pièce après avoir enlevé tous les bouts de Scotch. Ils avaient même plié la couverture écossaise. Les microscooters étaient sortis de leur emballage et les boîtes soigneusement aplaties et empilées l'une sur l'autre. Tout était rangé bien proprement, sauf ma statue de saint François qui était éparpillée en mille morceaux dans la boue. J'ai eu très peur. Et encore plus quand j'ai entendu du bruit derrière moi. En me retournant, je me suis retrouvé face à un grand bonhomme habillé avec une longue robe bleue. J'ai dit :

– Saint Charles Lwanga (mort en 1885), martyr d'Ouganda.

– Exact.

Il m'a tendu la main. Elle était pleine de sang.

– Désolé mais j'ai été décapité, tu comprends.

– Oui, je sais. C'est vous qui avez fait ça ?

– Non. Mais, si tu veux, nous pouvons t'aider à le remettre debout. À nous tous, on devrait y arriver.

C'est seulement à ce moment-là que j'ai remarqué les autres martyrs ougandais qui me faisaient signe de la main. Vingt-deux en tout. Avec des costumes fantastiques.

– La décapitation était très en vogue, à l'époque. Mais avant de se lancer dans le martyre, quelques-uns d'entre nous travaillaient dans le bâtiment. On fera ce qu'on pourra, mais je ne te promets rien. Ceux qui ont fait ça étaient de vraies brutes.

– Vous savez qui a fait le coup ?

Il a regardé au loin.

– Je veux bien te donner un coup de main mais pas montrer du doigt. À toi de deviner.

Et ils se sont tous mis à reconstruire mon ermitage en chantant. Je n'avais jamais rien entendu de si beau. Ça montait et ça redescendait comme les vagues de l'océan. De temps en temps, une voix s'élevait au-dessus des autres comme un oiseau dans le soleil couchant. Pendant qu'ils chantaient, deux perroquets gris sont venus se poser sur les rails, comme pour les écouter.

– J'aime bien ces oiseaux, ils me rappellent mon pays. C'est toi qui les as remis en liberté ?

– Oui. Comme saint François. Elle parle de quoi cette chanson ?

– De l'eau. Aujourd'hui, les Ougandais doivent

payer pour en avoir. Ça représente parfois dix pour cent de leur salaire. Saleté de privatisation. Et ne viens pas me parler de cette saloperie de FMI ou de Banque Mondiale !

— D'accord, je n'en parlerai pas.

— Les gens n'ont même pas les moyens de se laver les mains, alors ils attrapent des maladies. Pour améliorer les choses, pas besoin d'hôpitaux de luxe ou de médicaments sophistiqués. Les Ougandais ont simplement besoin d'eau potable sans avoir à débourser des mille et des cents. Sais-tu qu'il suffit de mille livres pour creuser un puits ?

— Non, je ne savais pas. C'est génial ! Vous êtes sûr ?

— Sûr et certain.

Anthony a eu l'air presque aussi excité que moi quand je lui ai appris la nouvelle. Il était sur donnezmoizan.com, en train de télécharger la photo du Scuba scooter GTX (32 500 livres, frais de port non compris). Il m'a dit :

— Un vrai puits pour 1 000 livres, c'est super ! À ce prix-là, tu peux en acheter deux.

— J'avais pensé deux cent vingt.

Il s'est mordu la lèvre.

— Ah bon !

— Oui. C'est pour une association humanitaire qui creuse des puits. On leur donne l'argent. Ils creusent. On est tiré d'affaires.

— Et tu vas leur donner comment, ton argent ? Tu

comptes envoyer 220 000 livres par la poste ? Tu sais combien ça pèse ? Attends, je vais te montrer un truc. Tu vois ce site ? Tu peux acheter des motos, des quads, des Scuba scooters exprès pour aller sous l'eau. On a les moyens de s'offrir ça. Et même toute l'armada si on veut. Eh bien, est-ce qu'on peut les acheter ? Non. Parce qu'on n'a pas de carte de crédit. Ou alors, on va directement les acheter en magasin, mais on ne peut pas non plus puisqu'on est trop jeunes. Elle s'appelle comment, ton association ?

Elle s'appelait Water Aid. On est allé sur Google et on a fini par trouver. Le siège se trouvait à Shrewsbury.

– Bon. Maintenant, explique-moi comment tu vas aller à Shrewsbury avec un sac bourré de billets.

– Ils n'auront qu'à venir le chercher. Quand on a voulu donner des affaires au moment du déménagement, le Secours Catholique est venu faire le ramassage. Je suis sûr que les gens des puits se déplaceront aussi.

Anthony m'a regardé. Il savait que j'avais raison. Il est retourné sur Google.

J'ai dit :

– Je vais les appeler tout de suite, d'accord ?

– O.K. Si tu crois vraiment que c'est la meilleure façon de dépenser cet argent.

– Bien sûr ! Tu sais ce que représente un puits, pour un village africain ? Je vais t'expliquer…

– Je suis persuadé que c'est génial. Après tout, l'Inde, c'est pas ton problème, pas vrai ?

– Comment ça ?

– Eh bien, en Inde aussi ils ont besoin de puits. Et en Afghanistan pareil. Ils sont au bout du rouleau, les Afghans. Mais si tu préfères les Africains…

Là-dessus, il a fait apparaître la photo d'une petite fille avec des cheveux tout poussiéreux, debout sur un tas de gravats quelque part en Iraq. Sur une autre photo, on voyait un garçon avec une seule jambe, au Kosovo. Et puis une où on voyait un bébé du Mozambique avec un ventre énorme.

– Mais comme tu dis, pourquoi s'occuper d'eux ?

– Je n'ai jamais dit ça. On pourrait peut-être diviser l'argent… ou alors…

– Au fait, est-ce que tu savais ça ? Il paraît qu'on peut vacciner les gens contre la cécité des rivières, rien qu'en leur faisant une piqûre qui revient à moins d'une livre sterling. Un quart de million et tu éradiques la cécité des rivières !

– Ouais, d'accord, ça serait bien mais…

– Mais quoi ?

– Je ne sais plus quoi faire, moi, maintenant.

– Eh ben, réfléchis.

Je me suis assis au bout du lit et j'ai fixé la moquette. Je l'ai tellement regardée qu'à la fin il m'a semblé que le lit tanguait.

– Tu n'es pas obligé d'y réfléchir là, tout de suite. La nuit porte conseil.

J'ai relevé la tête. Anthony était encore en train de surfer. Sur l'écran de l'ordinateur, on voyait une femme.

– Qu'est-ce que c'est ?

– Tu vois ces femmes ? On peut les acheter. Regarde, celle-là c'est Victoria. Elle coûte 39,99 £.

– C'est vrai ? Fais voir.

Il m'a repoussé.

– Mais non, crétin ! C'est un site de lingerie féminine. Tiens, regarde.

Il a cliqué sur un soutien-gorge en dentelle. Un tourbillon de pixels noirs et roses s'est mis à froufrouter sur l'écran. Tu vois ce petit truc qui pointe ? C'est son bout de sein.

Pour moi, ça ressemblait plutôt à d'autres pixels.

– Ça sert à quoi ?

– Eh ben, à nourrir les bébés.

– Maman aussi elle en avait un ?

– Elle en avait même deux. Elles en ont toutes deux.

– Alors elle nous a nourris avec ?

– Ouais. Je m'en souviens.

– C'est pas vrai. On ne peut pas se souvenir de quand on était bébé.

– N'empêche que je me souviens de toi quand tu l'étais. Et je me rappelle très bien qu'elle t'allaitait.

J'ai regardé Victoria pendant un moment. Ensuite Anthony s'est déconnecté et je suis allé me coucher. Dans mon lit, j'avais encore son image dans la tête. Je me suis imaginé qu'on pouvait vraiment la commander pour 39,99 £ et qu'elle allait venir et qu'on partirait ensemble dans sa voiture à Shrewsbury, où on déposerait l'argent. Et là, on grimperait d'un seul coup jusqu'en haut de l'échelle.

12

Physiquement parlant, l'eau est étonnante. Les êtres humains sont faits d'eau à plus de quatre-vingts pour cent. Et il y a presque soixante-dix pour cent d'eau à la surface de la terre. Vue de l'espace, notre planète ressemble à une grosse goutte.

Économiquement parlant, c'est généralement parce que les choses sont rares qu'elles ont de la valeur, comme l'or ou les bijoux. Pourtant, l'eau est ce qu'il y a de plus répandu sur terre et elle est plus précieuse que l'or. Si précieuse, même, que dans les régions arides, il y a des gens qui consacrent la majeure partie de leur temps à s'en procurer. Dans certains pays, les femmes partent de chez elles à trois ou quatre heures du matin tous les jours pour aller chercher de l'eau, de façon à être de retour en début de journée. Personne ne ferait ça pour de l'or. Bizarrement, l'or ou les bijoux gardent leur valeur, même s'ils ne sont pas parfaits. Pour l'eau, c'est différent.

Chimiquement parlant, s'il y a trop de sel ou trop de toxines dans l'eau, on peut mourir de soif auprès d'un océan plein à ras bord. Si on pouvait donner de l'eau en quantité suffisante à tout le monde, ça changerait la vie de bien des gens. Si ces femmes n'avaient pas à quitter leur village de si bonne heure, elles pourraient passer beaucoup plus de temps avec leurs enfants, ou simplement dormir davantage. Si vous avez une ferme, là-bas, avec un peu d'eau vous pouvez faire pousser du maïs, élever quelques poulets et avoir de quoi manger. Mais avec beaucoup d'eau, vous pouvez faire pousser des petits pois, des bananes, des ananas, des mangues, des patates douces, des eucalyptus, tout ce que vous voulez. Du coup, vous gagnez de l'argent, vous envoyez vos enfants à l'école et fini la pauvreté.

J'imaginais déjà tout ça dans ma tête : un long chemin d'eau qui traverse le désert, et tout autour des pousses vertes qui pointent leur nez, des feuilles qui se déroulent, l'herbe qui ondule, les fruits qui grossissent et le désert tout entier qui renaît à la vie comme une page d'album de coloriage. Et puis je me suis réveillé et je me suis rendu compte que j'avais fait pipi au lit.

Ça ne m'était pas arrivé depuis que maman était au meilleur-endroit-qui-soit. Heureusement, papa était déjà parti travailler et Anthony dormait encore. J'ai défait mon lit et j'ai mis les draps dans la machine à laver (40° – programme coton grand teint) avec quelques serviettes de toilette et mon pyjama. J'ai essayé de prendre ça comme une mortification, mais la machine avait à peine démarré que j'avais déjà envie de me recoucher. Ce qui était impossible étant donné que je n'avais plus de draps. Et de toute façon j'avais école. D'ailleurs, heureusement que je ne me suis pas rendormi car c'est ce jour-là que j'ai vu Dorothy pour la première fois.

Je crois que je l'ai repérée avant tout le monde. J'étais en train d'accrocher mon manteau et elle est passée en bavardant avec M. Quinn. Elle avait des petites tresses en épis de blé, comme Gemma, et une veste très chic, comme les dames du rayon maquillage. Elle portait une petite poubelle à pédale.

Après la sonnerie, on nous a dit de nous rassembler dans la salle de spectacle au lieu d'aller dans nos classes, parce que quelqu'un avait quelque chose de spécial à nous dire.

– En silence et en rangs, s'il vous plaît ! a crié M. James, le directeur.

Il avait mis sa cravate avec des rennes dessus.

On commençait à piétiner sur place quand on a entendu des cris du côté des CM 1. Tout le monde s'est mis sur la pointe des pieds et à se pousser pour voir ce qui se passait. M. James a dit :

– Du calme, les enfants, du calme… Écartez-vous, que tout le monde puisse voir.

Il a fait un clin d'œil à la femme chic, qui l'avait rejoint sur scène.

On a fait un grand cercle. Au milieu, il y avait

Shumita et la petite poubelle à pédale que j'avais vue passer quelques minutes plus tôt. Ça n'avait pas l'air passionnant. Mais tout à coup, le couvercle de la poubelle s'est soulevé et une voix en est sortie :

– *Comment tu t'appelles ?* a demandé la poubelle.

– Oh, mon Dieu ! a dit Shumita

– *Bonjour, Oh-mon-Dieu*, a dit la poubelle, et tout le monde a ri.

– Shumita, mon nom c'est Shumita.

– *Tu as de jolies nattes, Shumita.*

– Mince alors, elle me voit ! Comment elle fait ?

– *Ne t'inquiète pas, je viens en amie.*

Elle avait une jolie voix douce. Un garçon de CM 2 est venu se planter devant elle.

– *Pas de bousculade, s'il te plaît.*

– Ouais mais ça m'amuse, a dit le CM 2.

– *Comment t'appelles-tu ?*

– Ça marche comment ?

– *Bonjour, Ça-marche-comment.*

J'ai jeté un coup d'œil vers la scène. M. James souriait de toutes ses dents. La dame chic avait l'air de parler toute seule à voix basse. Elle se bouchait l'oreille avec son doigt et tenait une sorte de stylo devant sa bouche.

Je ne voudrais pas être rabat-joie, mais je savais très bien que c'était elle qui faisait marcher la poubelle et que c'était sa voix à elle qu'on entendait. Elle a mis l'espèce de stylo dans sa poche et a demandé à Shumita de lui apporter la poubelle.

Tout le monde s'est tu pour écouter ses explications. Mais au lieu de ça, elle a crié :

— Parmi vous, qui s'intéresse au sort des pauvres ?

C'était trop beau pour être vrai. J'ai levé la main *illico*. Tous les autres aussi mais, dans le tas, il y en a sûrement qui n'étaient pas sincères à cent pour cent. Elle s'est mise à nous parler de l'euro et du changement de monnaie. Elle nous a demandé combien faisait une livre en euros. On connaissait tous la réponse. Ensuite, elle a voulu savoir à combien équivalaient deux pence. Là, personne n'a levé le doigt.

— Je vais vous le dire. Ça équivaut à… presque rien. Mais combien êtes-vous ici ? On va compter, d'accord ?

Elle a tendu l'index et a commencé à nous compter un par un. Arrivée à treize, elle s'est arrêtée.

— Toi, je suis sûre que je t'ai compté deux fois.

— Alors M. James a dit :

— 368. Il y a 368 élèves dans l'école.

— Merci beaucoup. Alors : 368 multiplié par deux, ça fait combien ?

J'ai levé la main parce que j'avais envie d'être le premier à lui dire. Elle m'a fait signe et j'ai réalisé que je n'en savais rien. C'est Anthony qui a répondu à ma place.

— Ça fait 736.

— Très bien. Sept livres et trente-six pence. Maintenant, en euros cela nous donne… dix euros et trente-sept centimes. Pour nous, ça ne représente pas grand-chose. Mais en Éthiopie, c'est assez pour acheter un sac de blé qui nourrira toute une famille jusqu'à la fin de l'automne. Vous vous rendez compte ? Tout ça grâce à deux malheureux pence par personne. Et maintenant, voyons ce qui se passerait si vous me donniez chacun quatre pence. Combien ça ferait ?

J'ai encore levé le doigt.

— Vingt euros, soixante-quatorze centimes.

— Parfait. Tiens, voilà pour toi.

Elle m'a tendu un convertisseur jaune en forme de canard (la mascotte de l'euro). Il a fallu que je monte sur scène pour aller le chercher. Tout en continuant à parler, elle m'a ébouriffé les cheveux avant que je retourne à ma place.

— Et si vous me donniez sept euros cinquante entre maintenant et la fin du trimestre, savez-vous ce qu'on pourrait faire avec tout cet argent ? Eh bien, on pourrait creuser un puits.

J'ai crié :

— Ouais !

Elle a regardé de mon côté en souriant.

— Apparemment, il y a quelqu'un qui approuve cette idée. Et ça ne m'étonne pas.

Elle est descendue pour se promener dans les rangs et m'a encore ébouriffé la tête au passage, tout en expliquant des tas choses sur les puits. Je connaissais déjà tout ça par cœur et je l'écoutais en hochant la tête. Finalement, elle a dit :

– Quand nous passerons à l'euro, votre petite monnaie ne vaudra presque rien. Mais pour d'autres personnes, elle représente énormément. Alors puisque ça ne vous sert à rien, JETEZ TOUT ÇA À LA POUBELLE !

Tout le monde s'est mis à jeter sa petite ferraille dans la poubelle, rien que pour le plaisir de l'entendre dire : « *Merci* », ou bien « *C'est tout ? Allez, en cherchant bien, je parie que tu vas en trouver d'autres.* »

Quand mon tour est venu, la poubelle a fait :

– *Alors toi, comment t'appelles-tu ?*

– Damian.

– *Est-ce que tu as un peu d'argent à me donner, Damian ?*

J'ai fait signe que oui et j'ai levé la tête pour regarder la dame. Elle avait les yeux fixés sur moi. J'ai jeté tout ce que j'avais dans ma poche en essayant d'être discret et je l'ai de nouveau regardée. Elle m'a fait un clin d'œil et la poubelle a poursuivi son chemin.

Anthony s'est approché de moi par-derrière.

– Qu'est-ce que t'as fait ?

– La même chose que les autres. J'ai mis de l'argent dans la poubelle.

– Combien ?

– Ce que j'avais sur moi.

– C'est-à-dire ?

– Deux ou trois mille.

– Trois mille livres. Je rêve ! Tu peux me dire pourquoi tu viens à l'école avec trois mille livres ?

– C'est au cas où. Tu ne peux pas comprendre.

– Et toi ? Tu ne comprends pas que ça va paraître louche ?

– Pourquoi ? C'est pas courant mais ça n'a rien de louche. C'est notre argent.

Il m'a regardé fixement pendant un bon moment, et puis il m'a dit :

– Il est temps que tu saches la vérité.

Quand on est rentré, Anthony m'a montré un site qu'il avait classé dans les favoris. Un de ses sites préférés. On y trouve toutes les actualités internationales, mais vues sous un angle financier. Par exemple, s'il s'agit d'un article sur les jeux Olympiques, ils vous disent combien coûte une médaille d'or. Dans la section archives, on voyait la photo d'un train avec la légende : « Des tonnes d'argent. »

– Clique dessus, m'a dit Anthony.

– Pourquoi faire ?

– Tu vas voir.

Et voilà ce que j'ai vu :

Pour la majorité d'entre nous, l'expression « avoir des tonnes d'argent » n'est malheureusement qu'une figure de rhétorique. Pourtant, hier, des voleurs ont littéralement embarqué des « tonnes d'argent » en billets de banque usagés, pour la plupart de grosses coupures, qui n'étaient autres que les livres sterling destinées à être détruites dans l'incinérateur national situé aux environs de Warrington. De toute évidence, l'opération avait été préparée

avec une précision militaire et avec une mise de fonds initiale relativement modeste. Le montant total du butin s'élèverait approximativement à 6 000 000 £.

Liens : Les grands vols de l'histoire, cliquez ici
Que feriez-vous d'une « tonne d'argent » ?
Pour laisser un message, cliquez ici

J'ai dit :
— Je ne vois pas le rapport avec nous.
— Lis la suite.

Comment perdre 6 000 000 £
Compte à rebours d'une razzia exemplaire
Dernière mise à jour, 1er décembre, 7 heures du matin

30 novembre, à partir de 16 heures : Le personnel de la gare de King's Cross et la police des chemins de fer sécurisent le quai n° 1 et commencent à charger douze tonnes et demie de billets dans un train de marchandise. Ces fonds sont destinés à être incinérés en vue du fameux passage à l'euro, le 17 décembre prochain.

18 h 55 : Chargement terminé. Le train est prêt à partir. Les exploitants du tronçon King's Cross-Warrington — à savoir la société Railtrack — sont informés qu'il n'y aura aucun départ avant 20 h 00 (dédommagement exigé par Railtrack pour le manque à gagner : 70 000 euros).

19 h 05 : Un fourgon portant le logo officiel de la société Railtrack apparaît au bout du quai. Ce véhicule est un Ford Rascal de trois ans (Prix argus : 9 000 euros).

19 h 07 : Le fourgon fonce sur les agents de sécurité. Tandis que ceux-ci s'écartent en toute hâte, dix hommes revêtus du maillot de Newcastle United (prix TTC 49,99 euros) et de passe-montagnes surgissent du fourgon et commencent à neutraliser les gardiens à l'aide de battes de base-ball afin d'accéder au train.

Vers 19 h 12 : La police des chemins de fer, des maîtres-chiens et une unité d'intervention rapide arrivent sur les

lieux. Les agresseurs regagnent précipitamment leur fourgon et démarrent sur les chapeaux de roues, au mépris de
toute vie humaine. Ils ne sont restés que quatre-vingt-dix
secondes dans le train. Les agents de la sécurité affirment
qu'il ne manque rien, à l'exception d'une pochette scellée
contenant plusieurs liasses de billets.

Lien : Pour visionner les séquences TV des rapports
de police (Quicktime 5 ou plus indispensable), cliquez ici

À partir de 19 h 16 : La police se lance à la poursuite du
fourgon. Les malfaiteurs abandonnent leur véhicule dans
une rue transversale et prennent la fuite à pied. Les policiers parviennent à leur donner la chasse jusqu'à Norfolk
Road, et c'est là qu'apparaît toute l'ingéniosité du plan.
C'est en effet ce soir-là qu'a lieu le match de première
division Arsenal-Newcastle (39 000 spectateurs ; prix
moyen d'une place : 40 euros). Norfolk Road grouille de
monde. Les supporters de Newcastle sont des milliers à
arborer un maillot semblable à celui des malfaiteurs, qui se
fondent dans la foule sans la moindre difficulté.

19 h 40 : La police des chemins de fer retourne inspec-
ter le véhicule abandonné et y retrouve, intacte, la pochette
de billets (50 000 £). Celle-ci est acheminée vers King's
Cross.

23 h 50 : Le train est enfin prêt à partir. La tentative de
vol semble donc se solder par un échec.

J'étais arrivé à la fin de la page. J'ai dit :
– Bon. Et alors ?
Anthony a déroulé la suite.

1er décembre : Le train arrive à destination et l'on découvre alors la supercherie. En agressant les agents de la sécurité à la gare, les malfaiteurs n'ont agi que dans le simple but de faire diversion. Ils étaient dix à monter dans le train, mais seulement neuf d'entre eux ont pris la fuite dans le fourgon. Le dixième comparse, quant à lui, est resté dissimulé dans un wagon. Après le départ du train, il s'occupe d'ouvrir toutes les pochettes disposées sur des palettes afin de répartir l'argent dans plusieurs dizaines de sacs de sport de la marque JJB (prix conseillé : 42,99 euros). Dès que le train ralentit pour amorcer un virage, l'homme en profite pour larguer un sac sur la voie. Chacun contient, grosso modo, 250 000 £. Des complices postés à chaque tournant récupèrent les sacs au fur et à mesure. C'est ainsi que, entre King's Cross et Warrington, 6 000 000 £ s'évaporent dans la nature. Durant le trajet, l'homme a troqué son maillot de Newcastle contre l'uniforme réglementaire des employés des chemins de fer. Arrivé en gare de Warrington, il se mêle aux porteurs et aux conducteurs de chariots élévateurs qui s'affairent autour du train et, à la première occasion, se débrouille pour quitter la gare. En dispatchant ainsi le montant total du butin, nul doute que les voleurs pourront aisément changer ces livres en euros avant la date fatidique, puisqu'il s'agit de sommes relativement faibles (cours actuel : 1 euro = 71 pence). Ce matin, un sac ayant échappé au ramassage a été retrouvé près de Nuneaton. Un précieux indice qui permettra sans doute de reconstituer peu à peu toutes les phases de l'opération. Tout porte à croire que les points de chute se sont situés, entre autres, aux alentours de Crewe, Stafford, Penkridge et Watford.

Liens : Plan du trajet, y compris indication
des courbes et ralentissements, cliquez ici
Pour gagner un sac de billets,
tentez votre chance en cliquant ici

Anthony avait tout relu par-dessus mon épaule. Il m'a dit en souriant :

— Il va falloir leur rendre.

— Leur rendre quoi ?

— C'était un plan génial, non ? Six millions ! En billets non marqués, totalement indétectables. Et pas un seul blessé. En plus, tout cet argent allait être brûlé. Dans un sens, c'est même pas du vol. Disons plutôt du recyclage.

Sur le coup, je n'ai rien trouvé à dire. Et puis j'ai crié :

— Tais-toi !

— Quoi ?

— Qu'est-ce que tu avais besoin de me montrer ça ? Tu ne pouvais pas le garder pour toi ?

— Écoute, Damian…

— Je l'ai vu. Il est tombé du ciel.

– Tu l'as vu tomber du train, oui !

– Tais-toi ! Tais-toi ! Tais-toi ! Pourquoi tu me dis ça ?

– Parce qu'il faut que tu saches. Ceux qui ont fait ça sont dangereux. Ils ont semé l'argent aux quatre coins du pays. Ça veut dire qu'ils sont sûrement des dizaines sur le coup. Suppose qu'un de ces types soit arrivé en retard à l'endroit où il était censé ramasser un sac, qu'est-ce qu'il en déduit ? Que quelqu'un d'autre l'a trouvé avant lui. Quelqu'un dans ton genre. Et tu crois qu'ils vont se dire : « Bah ! pour un sac, c'est pas grave » ? Tu ne penses pas qu'ils voudraient remettre la main dessus ? Eh bien si, Damian. C'est ce qu'ils vont faire. Si ça se trouve, ils sont déjà sur ta piste. Ça peut être n'importe qui : un homme avec un œil de verre, une femme avec des tresses africaines, des gens avec des accents bizarres et des chemises blanches pas croyables. Il faut être prudent, Damian. Ils veulent récupérer leur fric et vite. Ils n'ont plus que quelques jours pour le convertir.

– Je croyais vraiment que c'était Dieu qui me l'avait envoyé.

– Hein ?

– Qui d'autre aurait autant de liquide ?

– Après tout, pourquoi pas. Les voies du Seigneur sont impénétrables.

– Mais il ne braque pas de banques. Dieu n'est pas un voleur, on est d'accord ?

Dès qu'on se lance dans la théologie, Anthony n'écoute plus. Il m'a lancé :

– Alors si c'est pas lui, qui c'est ? Réfléchis à la question.

Lundi matin, pendant la leçon de maths, M. James est entré dans notre classe, ce qui normalement n'arrive jamais. Il nous a fait poser nos crayons et nous a dit de le regarder. Il avait l'air terriblement sérieux.

– La semaine dernière, vous vous rappelez sans doute qu'une dame est venue vous parler de l'Opération petites pièces. Elle est revenue aujourd'hui afin de vous poser quelques questions. Je compte sur vous pour l'écouter poliment et lui répondre en toute franchise.

Il a ouvert la porte et la dame chic est entrée. M. James est resté debout à côté d'elle pendant qu'elle parlait en nous regardant un par un :

– Vendredi dernier, je vous ai demandé de vous débarrasser de votre petite monnaie et vous vous êtes montrés généreux. Très généreux. L'un d'entre vous l'a même été beaucoup trop. Et à vrai dire, l'importance du don qu'il nous a fait ne va pas sans nous inquiéter. Nous aimerions savoir de qui vient cet argent pour que tout soit vraiment… euh… légal. Si ce généreux donateur voulait bien se faire connaître, ce serait formidable.

J'ai failli lever la main en disant : « C'est moi ! », mais Tricia a bondi de sa chaise en disant que c'était elle.

M. James l'a regardée.

– Combien as-tu donné, Tricia, si ce n'est pas indiscret ?

– J'ai mis dix livres.

– Eh bien, c'est très gentil à toi, a dit la dame. Mais…

M. James est intervenu.

– Où as-tu trouvé ces dix livres, Tricia ?

Elle a tourné la tête vers moi, mais à peine, et elle a répondu :

– En vendant quelque chose, monsieur. Mais quand la dame nous a parlé de l'eau, j'ai voulu faire un geste. Je suis désolée, monsieur.

– Allons, ne dis pas de bêtises, Tricia. Ce que tu as fait là était très bien. Excellent. Bravo.

Elle n'a pas précisé que ce qu'elle avait vendu, c'était un dessin avec deux chevaux *sans selle* et quelques montagnes à l'arrière-plan. Le tout pour cent livres.

– Mais ce n'est pas ce que nous cherchons, a repris M. James.

Il a survolé la classe des yeux.

– Le mieux serait que la personne concernée vienne me voir aujourd'hui même dans mon bureau – n'importe quand. Je le répète, nous voulons simplement savoir d'où vient l'argent.

Et il est sorti.

J'ai passé toute l'heure à réfléchir à ce que j'allais dire. Quand la cloche a sonné pour la récréation de dix heures, j'étais fin prêt. Je suis allé direct au bureau de M. James en répétant mon discours. « On ne savait pas que c'était de l'argent volé. On voulait le donner aux pauvres. Le gouvernement voulait brûler tous ces billets sous prétexte qu'ils étaient vieux, mais c'est mal. Il y en a qui sont en mauvais état, d'accord, mais un petit bout de Scotch et c'est vite réparé. Les pauvres, ça leur est égal d'avoir des billets abîmés ou pas… » Le passage du Scotch n'était peut-être pas indispensable, j'hésitais encore. C'est là que je me suis rendu compte qu'il y avait déjà quelqu'un devant la porte du directeur. Un quelqu'un que je ne m'attendais pas à trouver là. Mon frère Anthony.

– Qu'est-ce que tu fais ici ? j'ai chuchoté.

– Je me doutais que tu allais tout leur raconter. Je n'ai pas l'intention de te laisser faire ça. J'ai des intérêts à protéger dans cette affaire.

Avant que j'aie le temps de riposter, M. James a ouvert la porte et nous a dit d'entrer et de nous asseoir.

C'était la première fois que j'entrais dans son bureau. Pour y aller, il faut vraiment avoir fait quelque chose de grave. Au mur, il y a une pendule avec les chiffres dans le mauvais sens. Les aiguilles aussi tournent à l'envers. On se dit que, si on les regarde pendant un long moment, on aura l'impression de remonter le temps. En fait, ça ne marche pas du tout comme ça. On a plutôt l'impression que le temps vous tombe dessus de tous les côtés à la fois.

– Bon, a dit M. James. Les frères Cunningham, hein ? Qu'avez-vous à me dire ?

J'ai pris la parole.

– C'est moi qui…

– Le don important pour l'Opération petites pièces, c'est nous, a coupé Anthony.

– Mais l'argent, c'est moi qui l'ai mis, j'ai rectifié.

– Peut-être mais il était à nous deux.

– Je n'en doute pas, a dit M. James. Mais, si je puis me permettre de vous poser la question… Où avez-vous trouvé cet argent ?

J'ai commencé à dire :

– Eh bien, au début je croyais qu'il était tombé du…

Mais Anthony ne m'a pas laissé aller plus loin :

– On l'a volé.

M. James l'a dévisagé avec des yeux ronds.

– Oui, on l'a volé à des voisins.

Des voisins ?

M. James a dit :

– Ne m'en dites pas plus.

Il a levé la main pour nous faire taire et il a décroché son téléphone.

– Monsieur Cunningham ? Pourriez-vous venir le plus vite possible. Nous avons un léger problème.

Papa a mis dix-sept minutes à l'envers pour arriver à l'école. Entre-temps, M. James nous a expliqué qu'il ne voulait pas discuter en son absence afin de respecter la procédure légale. Il a passé quelques coups de fil et corrigé quelques cahiers. J'avais envie de crier sur Anthony mais je n'osais pas.

Quand papa est entré, il avait les cheveux dressés sur la tête. Dès qu'il a un ennui ou quelque chose qui ne va pas, il se passe la main dans les cheveux et ils rebiquent. Il avait dû faire ça un certain nombre de fois en venant ici. Il nous a regardés d'un air mauvais, d'abord moi, ensuite Anthony, et puis encore moi.

— Après tout ce que nous avons vécu... Après tout ce qui s'est passé, vous trouvez le moyen de me mentir ! Car ce qu'il y a de plus grave dans tout ça, ce n'est pas le vol, c'est le mensonge.

M. James a toussé.

— C'est tout de même grave de voler. Enfin, de prendre de l'argent à quelqu'un, en l'occurrence. Très grave. En admettant que vous l'ayez fait. Est-ce que vous avez réellement volé cet argent ?

Il m'a regardé et j'ai réalisé que c'était le moment de dire la vérité, de tout leur expliquer. Après ça, ils s'occuperaient de l'argent et tout rentrerait dans l'ordre. J'ai dit,

— Non, ce n'est pas nous. En fait, on...

— Oui, c'est nous, a affirmé Anthony. On l'a volé à ces types.

— Quels types ?

— Les hommes en chemise blanche, tu sais. Ceux qui habitent dans notre rue. Les morpions.

– Les mormons !

Papa est devenu rouge vif.

– Vous avez volé de l'argent aux mormons ?

– Non, j'ai dit.

– Oui, a dit Anthony.

Allez savoir pourquoi, il était plus convaincant que moi. Pour un peu, je l'aurais cru moi aussi.

Papa s'est passé la main dans les cheveux sans rien dire.

M. James s'est penché en avant et a gentiment invité Anthony à nous dire pourquoi il avait fait ça.

Anthony a regardé le directeur, puis papa, et il a reniflé de façon énorme et il a dit :

– Maman est morte, et il s'est mis à pleurer.

Aussitôt, ç'a été la panique dans le camp des adultes. On aurait dit qu'un incendie venait de se déclarer. Papa nous a fait sortir du bureau en quatrième vitesse pendant que M. James répétait :

– Bien sûr... bien sûr... bien sûr...

Ensuite il a continué à nous pousser vers la sortie et on a traversé le jardin du millenium au pas de course jusqu'au parking. Pendant ce temps-là, Anthony n'arrêtait pas de renifler et de pleurer.

La dame aux épis de blé était justement en train de sortir de sa voiture. Quand elle m'a aperçu, elle a souri. Et puis elle a interpellé papa :

– Excusez-moi mais... ce ne serait pas les garçons qui ont...

– Volé de l'argent, ouais.

– Oh. C'était donc ça. Je croyais être tombée sur des écoliers particulièrement nantis. Et généreux. C'est moi qui ai soulevé la question. Je suis vraiment désolée de vous avoir causé des ennuis. Je pensais juste que…

– Vous avez bien fait. Vous avez eu tout à fait raison. Ils ont volé cet argent. Vous n'y êtes pour rien.

– Mais ils l'ont fait pour une bonne cause ! À leur âge, je n'en aurais pas fait autant. Dans un sens, ça prouve que vous les avez bien éduqués.

– Vous êtes assistante sociale ?

– Moi ? Non ! Une simple intervenante. Je me rends dans les écoles pour expliquer le passage à l'euro et pour collecter des fonds au bénéfice d'une œuvre caritative.

Anthony a encore reniflé un grand coup. Papa nous a poussés dans la voiture et il a claqué les portières. Dès qu'on s'est retrouvé tous les deux sur la banquette arrière, Anthony m'a regardé en souriant.

– T'as vu ça ? Les vieilles recettes sont toujours les meilleures, hein ?

Je ne l'écoutais pas. Je regardais la dame en train d'accomplir un miracle en direct. Elle parlait et papa riait. Il ne souriait pas vaguement du bout des dents, histoire d'être poli. Non, il riait vraiment. Tout en essayant de remettre ses cheveux à plat. Quand il s'est assis au volant, il avait encore le sourire. Je me suis penché pour lui demander ce qu'elle lui avait dit.

– Elle m'a dit qu'on devrait vous enfermer, tous les deux.

On a traversé le pont et j'ai regardé sa grande carcasse métallique défiler par le toit ouvrant. J'ai demandé à papa :

– C'est quoi, un pont transbordeur ?

Je me rappelle très bien qu'il s'intéressait beaucoup aux ponts, à une certaine époque – le pont du port de Sydney, celui de Humber, le pont des Soupirs, etc. Je me suis dit que ça le libérerait peut-être d'en reparler. Il m'a dit :

– Tais-toi, pour l'amour de Dieu !

C'est justement ce que saint Roch avait fait. Alors j'ai fait pareil.

En arrivant à la maison, Anthony a appris que la police comptait rendre l'argent aux mormons et qu'on était censé aller leur présenter nos excuses. Ça a eu l'air de l'embêter. Moi j'y ai vu une belle occasion de braver le danger tout en nous mortifiant, étant donné qu'on ne leur avait rien pris du tout.

J'ai fait part de ma réflexion à Anthony, mais inutile de vous donner sa réponse noir sur blanc, ça n'apporterait pas grand-chose à l'histoire.

Le policier du quartier nous a accompagnés chez les Saints des Derniers Jours et il leur a tendu l'argent en disant :

– Voici les trois mille livres que ces deux gamins vous ont volées. Ils voudraient vous présenter toutes leurs excuses.

Les Saints se sont regardés.

– Il vous manque bien trois mille livres ?

Les Saints se sont mordu les lèvres.

Ils auraient dû dire non et l'un d'eux avait l'air prêt à le faire, mais papa a dit :

– C'est bon, ils ont tout avoué.

– Ah. Alors d'accord – et merci, a dit Élie.

– Seulement vous n'avez pas porté plainte, a souligné le policier.

– Oh, vous comprenez, a dit Elie, les choses de ce bas monde, tout ça…

J'ai vu Anthony hausser les sourcils.

– J'aimerais pourtant bien savoir pourquoi vous aviez autant d'argent liquide chez vous, a demandé l'agent.

– C'était un don. Un don anonyme.

– Et vous ne vous êtes pas posé de question sur son origine ?

– Non. Pourquoi ? Nous prions beaucoup. Nous avons pensé que c'était en réponse à nos prières.

– Intéressant. À propos, il paraît que vous avez dépensé sept mille livres chez Barty, l'autre jour. Également en liquide.

On l'a vu sortir un paquet de factures qu'il a commentées à voix haute :

– Écran plasma format home cinéma, micro-ondes, lave-vaisselle, bain de pieds bouillonnant… Avez-vous également beaucoup prié pour avoir tous ces engins ?

– À travers nos prières, nous cherchons un peu de réconfort spirituel et d'encouragement.

– Auprès d'un lave-vaisselle ?

– Et d'un bain de pieds à bulles, oui.

C'est ainsi que les Saints ont plus ou moins confirmé l'histoire d'Anthony. Les menteurs n'ont pas de saint patron, mais apparemment ils s'en sortent très bien tout seuls.

En revenant à la maison, des tas de bengalis zébrés me sont passés sous le nez. Quand il y a des tas de petits oiseaux, on dit une nuée. Une nuée de bengalis. Papa a eu sa période « termes collectifs ». Pour les oies qui se déplacent en marchant, on dit un troupeau. Mais en vol, c'est une formation. Et pour les abeilles, on dit un essaim.

J'ai dit à Anthony qu'on s'en était vraiment tiré à bon compte et j'ai essayé de lui expliquer le caractère miraculeux de notre échappatoire. Il avait une autre théorie.

– C'est eux, c'est clair. Réfléchis deux secondes. On se pointe chez eux et on leur donne un paquet d'argent en prétendant qu'on leur a piqué. Ils savent très bien que c'est pas vrai mais ils acceptent l'argent quand même. C'est carrément louche. Et ils *sont* louches. C'est le premier point. Le second point, c'est qu'ils sont venus habiter juste à côté de la voie ferrée, pile à l'endroit où l'argent devait être largué. Coïncidence ou pas ?

– Papa aussi a acheté une maison près de la voie ferrée. Comme tous ceux de la rue.

– Papa n'a rien à voir avec trois types qui ont la même chemise et un accent bizarre, que je sache. Papa n'a rien de louche. Eux, oui, c'est clair et net. Et je le répète, ils sont pile au bon endroit. Et puis… Et puis il y a aussi la caméra… celle qu'ils ont voulu installer. Pourquoi faire ?

– Pour épier les cambrioleurs.

– Peut-être. Ou bien alors pour nous épier, nous.

– Et dans quel but ?

– Parce qu'ils ont compris que l'argent se trouve quelque part dans le quartier et ils veulent savoir chez qui. Le coup du train, c'est eux. Et ils veulent récupérer le sac qui manque, c'est évident.

– Tu crois ?

– Et maintenant, ils savent que c'est nous.

– Comment ça ?

– Parce qu'on vient de leur filer trois mille livres, tiens ! Tu le fais exprès ou quoi ? Ils savent que c'est nous. Ils savent qu'on a plein d'argent alors qu'on ne devrait pas. Et ils ne vont sûrement pas tarder à venir le reprendre.

– En 1857, quand ils étaient sous l'autorité de John Doyle Lee, les mormons ont massacré cent trente-sept émigrants qui avaient eu le malheur de pénétrer sur leurs terres. Il vaut mieux pas se frotter à eux.

– Justement ! Ces types-là n'ont rien à voir avec des mormons. Ce sont des voleurs déguisés en mormons.

– Voleurs ou mormons, ils sont dangereux quand même. Et si on leur rendait l'argent, tout simplement ?

– De toute manière on en sait déjà trop. Non. Il faut qu'on le cache dans un endroit sûr et qu'on fasse semblant d'être au courant de rien.

– Où ça ?

La réponse était évidente : à la banque.

Le lendemain matin, au lieu d'aller à l'école, on a pris le bus pour Widnes. Le chauffeur a dit d'un air méfiant :

– Il n'y a pas école aujourd'hui ?

– Rendez-vous chez le dentiste, a déclaré Anthony.

Et il a ouvert la bouche en grand pour montrer sa dent du fond.

– Là, regardez.

– Non merci, j'ai déjà assez de mes problèmes, a répondu le chauffeur.

Et voilà, on en était à sécher les cours et à raconter des mensonges en public, tout ça pour une histoire d'argent. Il restait cinq jours avant le Jour €. Toutes les banques étaient bondées de gens qui voulaient changer leurs livres en euros. Ils arrivaient avec des sacs plastique, des boîtes, des chaussettes ou des sacs isothermes remplis de monnaie. Les caissiers déversaient les pièces dans des espèces de machines, ensuite les pièces dégringolaient dans de grosses poubelles placées sous le comptoir. On se serait cru dans une énorme boîte de conserve pendant une averse de grêle. Pour se protéger du bruit, les employés de banque portaient des casques orange avec un petit sigle € sur chaque oreille. Il nous a fallu une demi-heure pour arriver au guichet.

– On voudrait ouvrir un compte, a dit Anthony.

– Quoi ? a fait la femme avec son casque orange sur la tête.

Anthony lui a montré ses oreilles et elle l'a enlevé.

– On voudrait ouvrir un compte.

– Pas de problème. Votre mère est avec vous ? Ou bien votre père ?

– Non.

– Ah, désolée, j'ai besoin de la signature d'un adulte. Et aussi d'une pièce d'identité.

Anthony devait s'y attendre, parce qu'il lui a tendu sa carte de piscine. Il y avait sa photo dessus, avec son nom et son adresse, mais ça ne suffisait pas.

– Il faut dire à votre mère de se déplacer.

– Impossible.

Anthony l'a fixée droit dans les yeux.

– Elle est morte.

La femme l'a regardé, puis moi. J'ai essayé de ne pas avoir l'air trop triste parce que je ne voulais pas cautionner les erreurs de mon frère. Mais j'avais quand même du mal à paraître franchement joyeux. Ensuite, elle a fait comme tout le monde dès qu'on parle de maman : elle nous a donné quelque chose. Une tirelire en forme d'€ et deux euros gratis.

On est reparti avec notre sac de billets. Il était lourd et on avait peur qu'il lui arrive quelque chose. C'est ça l'ennui. On croyait que l'argent allait régler tous nos problèmes, et finalement c'est lui qui en créait. On passait notre temps à se faire du souci pour lui, à le border le soir dans son lit, à vérifier que tout allait bien. Comme pour un bébé. Et maintenant, on en était à promener notre gros bébé dans son couffin.

— Je te l'avais dit, on aurait mieux fait d'acheter une maison, a grogné Anthony.

On l'a emmené avec nous jusqu'à Toys R'Us. Puisqu'on ne pouvait le cacher nulle part, Anthony a décidé de le dépenser.

On a mis le sac dans un caddie et on a pris la première allée. Au début, c'était le rayon Barbie, alors on n'a même pas ralenti. Tout au bout, c'était le coin des Action Man. Anthony était ravi. J'ai dit :

— Des poupées déguisées sous un autre nom.

— Quoi ?

— Action Man, c'est une poupée.

— Tu vas pas recommencer !

— Il est dans la même allée que les Barbie. Tu ne trouves pas ça bizarre ? Regarde, tu peux leur acheter des habits, comme pour les Barbie. Et aussi des petits sacs.

— C'est pas un sac, c'est une trousse à outils.

— O.K., vas-y, achète !

— J'en ai pas besoin.

On a quitté l'allée des Action Man pour aller dans

celle des Gameboy. Il y avait des montagnes de boîtes couvertes de monstres et de femmes avec des yeux qui leur sortaient de la tête et qui écartaient les bras. Très bruyantes à lire, ces boîtes. Je n'avais jamais vu autant de points d'exclamation.

Anthony a parcouru l'allée en long, en large et en travers.

– On peut s'acheter n'importe quels jeux. Et même toute la collection si on veut. L'ennui, c'est qu'on n'a pas envie.

Il a poussé jusqu'au rayon armement. Il y avait de tout : des pistolets, des lasers, des grenades, des couteaux, des lances, des épées, des mortiers. Anthony a dit :

– Si c'était des vrais, ça me plairait.

Et il a continué à avancer. De plus en plus vite. Il commençait à paniquer.

– C'est déprimant ! Ils doivent quand même avoir des trucs bien dans ce magasin, non ?

On a longé une allée entièrement remplie de mallettes pour emporter son déjeuner à l'école. À côté, c'était les stylos parfumés aux fruits. Il y en avait plus de cent à collectionner. Et aussi toute une série de caniches en plastique avec des poils de couleurs et de styles différents. Chacun avait son propre certificat de naissance.

Tout à coup, Anthony a repéré un truc soi-disant fantastique. Un château en forme de gros crâne à l'air furieux. Ses yeux pouvaient s'ouvrir et se refermer.

Quand ils étaient ouverts, des guerriers jaillissaient sur des chevaux noirs ailés. Il m'a dit :

– Regarde ça, c'est mortel ! Il nous le faut absolument.

Ça coûtait 166,99 £.

On était tellement impatient qu'on l'a déballé sur la pelouse du parking. Il était nettement plus petit que sur la boîte, en plastique gris assez fragile. Quand on lançait les guerriers volants, ils atterrissaient généralement dans les narines du crâne. À moins d'appuyer vraiment fort, et c'est là que le ressort a sauté. On a essayé de le réparer mais je me suis coupé le doigt.

– On vit dans un monde pourri, a grogné Anthony. On peut avoir tout ce qu'on veut mais c'est que des trucs merdiques !

Sur le chemin du retour, on a balancé le château dans une poubelle. Ensuite on s'est arrêté chez Carphone et on a acheté deux portables vidéo avec deux cents euros de crédit de communication chacun. Ma sonnerie à moi, c'était le thème de *Harry Potter*. C'était bien de se voir sur l'écran, mais on ne savait pas quoi se dire.

En arrivant à la maison, on a aperçu quelque chose au pied de l'escalier, dans l'entrée. C'était la poubelle à pédale. Elle nous a dit :

– *Bonjour, Damian. Bonjour, Anthony. Vous êtes drôlement chargés, dites donc !*

13

Anthony a essayé de cacher le sac derrière son dos, mais autant vouloir cacher une école en se plantant devant. Aucune chance que ça marche. En plus, ça ne servait à rien puisque la poubelle n'avait pas d'yeux. Ce n'était donc pas elle qui nous voyait. Et je savais qui c'était : la dame chic de l'autre jour. Quand je l'ai regardée, elle a levé la main et elle m'a fait coucou en remuant son petit doigt. Rien que son petit doigt. Je n'avais encore jamais vu quelqu'un faire ça. Depuis non plus, d'ailleurs. C'est un geste unique. Elle m'a dit :

— Bonjour, Damian.

— Bonjour, Poubelle.

— Ce sont vos affaires de classe ? Vous allez attraper une hernie ! a dit la dame chic.

Pour une fois, Anthony a séché. Heureusement, elle a pris son silence pour une interrogation et elle a enchaîné :

— Le haut-parleur de ma poubelle était cassé. Votre père m'a proposé de le réparer.

– Eh bien maintenant ça marche, a dit Anthony.

Et il a laissé la porte grande ouverte, histoire de l'inviter à partir.

– Au fait, je m'appelle Dorothy, a dit Dorothy. Votre père a vraiment fait du bon boulot, vous savez.

Elle a décroché son manteau du portemanteau. Là-dessus, papa est sorti de la cuisine avec un tournevis à la main. Il a dit :

– Vous avez bien le temps de prendre une tasse de thé, non ?

– Une toute petite alors, a répondu Dorothy.

Avant d'entrer dans la cuisine, elle s'est retournée pour jeter un coup d'œil à Anthony. Il s'est renfrogné et a commencé à monter les marches avec le sac.

Papa a branché la bouilloire et a sorti des biftecks hachés du frigo. Elle a dit :

– Il n'y a rien à éplucher ou à couper en attendant que l'eau bouille ?

– Non, pas la peine. On sait très bien se débrouiller, vous savez.

– Ça fait des semaines que je me nourris de surgelés. Les corvées de pluche commencent à me manquer.

Papa lui a passé un oignon et un couteau bien aiguisé. Elle a coupé l'oignon en deux et m'en a donné une moitié en disant :

– Fais comme moi.

Elle a retourné sa moitié (ça faisait comme un petit igloo) et puis elle l'a tranchée en deux et elle m'a regardé. Je l'ai imitée. Elle a dit :

– Bien.

Elle l'a recoupé trois fois de suite. J'ai fait pareil et elle a dit :

– Bien, bien, bien.

Après ça, elle a fait des centaines de bouts minuscules tout en disant :

Bien, bien, bien, bien, bien, bien, bien… et j'ai fait la même chose.

À la fin, on était tous les deux à bout de souffle. Elle a regardé papa en disant :

– Casserole ?

– Le thé est prêt. Je prends le relais.

Mais elle avait déjà repéré la casserole. Elle a mis de l'huile au fond, l'a posée sur le feu, après quoi on a jeté les petits bouts d'oignon à pleines poignées. Elle m'a tendu la cuillère en bois en disant :

– Ne t'arrête pas de remuer.

Avant qu'on déménage, c'était toujours moi qui remuais. Quand tout le monde avait une envie terrible de porridge, par exemple, je touillais pendant des heures. Et quand on faisait de la gelée, je tournais jusqu'à ce que tous les cubes aient fondu dans l'eau bouillante. Bref, j'avais de l'entraînement.

Après avoir bu son thé, Dorothy a dit :

– C'était délicieux. Je crois qu'il est temps que je file.

– Et moi je crois que vous devriez rester dîner, a dit papa. Étant donné que vous avez pratiquement tout préparé.

– Non. Mais merci quand même, a répondu Dorothy. À moins que vous n'ayez une ou deux boîtes de
sauce tomate ?

Papa n'a pas eu l'air très sûr, mais il en a quand
même trouvé deux.

Elle a mis la viande avec les oignons et a versé les
tomates par-dessus. Après ça, elle a réclamé une
autre casserole. Il nous a fallu un siècle pour la trouver, parce qu'on se sert toujours de la même, unique-
ment pour réchauffer des haricots. Papa a fini par en
dénicher tout un tas, emboîtées les unes dans les
autres. Il les a posées sur le plan de travail en disant
qu'il était temps de faire entrer la multi-casserolité
dans nôtre vie. Après ça, elle a voulu du lait, et puis
une cocotte, et puis du fromage, et puis une râpe à
fromage, et puis des pâtes…

– Des pâtes ? Je ne sais pas si… Qu'est-ce que vous
nous préparez, au juste ?

Il s'est avéré qu'elle nous préparait des lasagnes
maison. Je ne pensais pas que c'était si compliqué. Là,
pas question d'aller regarder la télévision en attendant
que le four chauffe. Pour la sauce à la viande, vous
prenez donc des tomates en boîte, du bifteck haché,
des oignons et des herbes, et vous laissez mijoter un
bon moment jusqu'à ce que ça réduise. On peut aussi
épaissir la sauce avec de la farine, mais les arômes se
développent mieux quand on fait mijoter.

Pour la sauce blanche qui va avec le reste, tout est
dans le minutage. Vous faites une pâte avec de la

farine et du beurre, ensuite vous ajoutez le lait très lentement, pratiquement goutte à goutte. Si on va trop vite, ça fait des grumeaux. Et tout ça sans s'arrêter de remuer, bien sûr.

Du coup, j'avais deux casseroles à remuer en même temps, pendant que Dorothy versait le lait. Quelqu'un a sonné à la porte et elle s'est écriée :

– Oh, non !

Mais on a entendu Anthony qui allait répondre.

À la dernière giclée de lait, j'ai continué à tourner de façon ferme et régulière. Papa a ajouté le fromage râpé. J'ai continué à touiller jusqu'à ce qu'il soit complètement fondu.

Dorothy est venue regarder par-dessus mon épaule et elle s'est mise à rire.

– Regardez ça : pas un seul grumeau ! On pourrait le boire à la paille.

Elle s'est penchée encore un peu et j'ai senti ses cheveux. Un vague parfum d'orange. Juste après, on a entendu chanter. Anthony avait ouvert à des gens qui venaient interpréter des chants de Noël. Toute une famille : la mère, le père, le fils, la fille. La fille, c'était Tricia. Elle m'a fait un petit signe.

Papa s'est joint à eux quand ils ont entonné *Douce nuit*. Quand je dis qu'il s'est joint à eux, il a chanté la même chanson, mais pas sur le même ton. Dorothy a dit en riant :

– Est-ce que vous connaissez *Le Lierre et le houx* ?

– Ils ne jouent pas sur commande, a dit Anthony.

Il a fait mine de vouloir fermer la porte mais elle l'a arrêté et elle leur a donné deux euros.

On est vite retourné en cuisine pour terminer les lasagnes. Pour ça, vous versez une partie de la sauce à la viande dans un plat à four et vous recouvrez avec les feuilles de lasagnes. La sauce s'infiltre comme de la mousse rouge dans les espaces vides. Ensuite, vous versez le restant de la sauce à la viande et la moitié de la sauce blanche. Vous recouvrez le tout avec d'autres lasagnes et vous ajoutez la fin de la sauce blanche et un peu de fromage râpé.

Anthony est entré en grognant :

– Pourquoi y'a tant de bazar ?

– Parce que nous sommes en plein travail, a dit papa.

– N'empêche que quand c'est moi qui fais la cuisine, y'a moins de bazar.

– Tu ne fais pas de cuisine, tu réchauffes des plats, nuance. Et puis si ça te gêne tant que ça, tu n'as qu'à nous aider à ranger pendant que les lasagnes cuisent.

Quand Anthony a entendu le mot « lasagnes », son regard s'est légèrement éclairé.

J'ai lavé les casseroles. Une odeur délicieusement appétissante commençait à flotter dans la pièce. À travers la porte du four, on entendait le fromage grésiller doucement. J'ai dit :

– Les pâtes, ça vient bien d'Italie ? C'est sûrement une recette que saint François aurait pu faire.

– Non, a répondu papa. Il était du nord. Au nord

de l'Italie, ils sont plutôt riz, risotto, tout ça. Les pâtes, c'est une spécialité du sud. De toute façon, ils ne connaissaient pas les pâtes avant le retour de Marco Polo. C'est lui qui les a rapportées de Chine en 1295. Ensuite, les Italiens les ont améliorées. Mais en vérité, ce sont les Chinois qui ont inventé les pâtes – ou plus exactement les nouilles.

– N'importe quoi, a dit Dorothy. Comment des gens qui n'utilisent pas de fourchettes auraient-ils pu inventer les nouilles ?

Alors papa s'est lancé dans l'historique de la fourchette, laquelle a été introduite en Angleterre par Thomas Becket. J'ai dit :

– Thomas Becket (1118-1170), archevêque de Canterbury, assassiné au sein même de sa cathédrale.

– À quoi vous jouez, tous les deux ? Vous faites partie d'un quizz-club ou quoi ?

Ça ne m'était jamais venu à l'idée qu'un jour je sois assez grand pour participer à ce genre de chose avec papa.

– Je m'y connais en saints, c'est tout, j'ai dit. Dorothée de Cappadoce, morte en 304, c'est bien ça ?

Elle m'a dit qu'elle me croyait sur parole. Je lui ai raconté la vie de sainte Dorothée, comment elle avait été exécutée et comment son geôlier s'était moqué d'elle quand elle lui avait annoncé qu'elle allait monter droit au ciel. « Envoyez-moi donc des fleurs, quand vous serez là-haut », qu'il lui avait dit.

Et le soir, en rentrant chez lui, il avait trouvé sa chambre pleine de roses.

– Pourquoi l'a-t-on exécutée ?

– Parce que c'était une vierge martyre.

– Ah. Très bien.

– C'est quoi exactement, une vierge martyre ?

Elle a dit :

– Mince, les lasagnes !

On a sorti le plat du four. Ça n'avait rien à voir avec des lasagnes surgelées. Ça bouillonnait, ça crépitait, le fromage faisait des bulles. On aurait cru qu'elles étaient vivantes. Quand on les a entamées, un panache de fumée parfumée à la viande s'est élevé lentement, comme une prière.

Alors qu'on ne s'y attendait pas du tout, papa a choisi ce moment-là pour nous expliquer ce qu'était un pont transbordeur. C'était comme une cage suspendue entre deux immenses pylônes. On y entrait avec sa voiture et une sorte de grue vous transportait de l'autre côté de la rivière. Je n'ai rien dit, mais cet instant est resté gravé dans mon cœur. La culture générale de papa était revenue pour de bon.

– Ça devait être formidable, cette impression de s'envoler dans sa propre voiture ! s'est exclamée Dorothy. Dommage qu'il n'y en ait plus.

– Est-ce que vous mettez de la crème teintée hydratante ? j'ai demandé.

– Damian ! a protesté papa.

– Laissez-le. Si on ne pose pas de questions, on

n'apprend jamais rien. C'est vrai, j'en mets. Dans mon métier, il vaut mieux avoir confiance en soi. Je ne parle pas de ton école, elle est formidable. Mais dans certaines, il faut une bonne dose de courage et c'est bien de se protéger derrière une sorte de masque, tu vois. En tout cas bravo, tu es très observateur !

À la fin du dîner, Dorothy a regardé sa montre en disant :

— Je ne pensais pas qu'il était si tard. Mais je ne partirai pas sans vous avoir aidés à faire la vaisselle.

— Non, non, laissez, a dit Anthony. On est habitué, on la fait tous les soirs. Si vous devez partir, vous…

— Anthony, a coupé papa.

— Oui, quoi ?

Papa l'a regardé pendant une seconde, comme pour réfléchir à quelque chose, et puis il a repris :

— Au fait, qu'est-ce que tu transportais dans ce sac ? Ce ne sont quand même pas des devoirs à faire à la maison ?

Ça aurait pu être un moment critique, mais Anthony avait eu le temps de préparer sa réponse.

— Si, en quelque sorte. C'est des costumes. Pour la pièce sur la Nativité.

Dorothy s'est illuminée comme une guirlande de Noël.

— Un spectacle de Noël ! Ça fait des années que je n'en ai pas vu. Quel rôle allez-vous jouer, les Rois mages ? Si vous nous donniez un petit aperçu ? Allez, mettez-vous en costume, ça nous ferait tellement plaisir !

– Non.

La guirlande s'est éteinte. Anthony a haussé les épaules.

– Ça gâcherait la surprise.

Elle s'est rallumée.

– Ça veut dire que tu m'invites à votre spectacle ?

Anthony a fait une drôle de tête, comme s'il était tombé dans un énorme piège. Il a dit :

– Eh ben… j'en sais rien… Normalement c'est juste pour…

– J'adore les spectacles de Noël ! Ça fait tellement longtemps. Je viendrai, c'est promis. À condition que ça ne vous dérange pas, bien sûr.

– C'est la première fois que j'en entends parler, a remarqué papa. On ne me dit jamais rien dans cette maison.

Anthony avait l'air furieux. Il s'est mis à débarrasser la table. Le temps qu'on finisse la vaisselle, c'était l'heure de *Qui veut gagner des millions ?* On a toujours le droit de regarder. Avant, papa adorait ça mais plus maintenant. Pourtant, ce soir-là, il s'est assis au bout du canapé. Dorothy s'est installée à l'autre bout. Et moi au milieu.

Le premier candidat était une femme. Elle a demandé à voir la question à quatre-vingt mille euros, et puis elle a préféré abandonner alors que papa lui hurlait la bonne réponse à travers l'écran.

– Vous savez, c'est une émission en différé, a dit Dorothy. Vous ne pouvez plus rien pour cette pauvre femme.

Le candidat suivant était un conseiller financier de Bradford, avec des cheveux incroyablement longs. À ma grande déception, Dorothy a répondu faux à la question à mille euros. Par égard pour elle, je ne dirai pas laquelle. Elle a déclaré que, à son avis, ce genre de connaissances était très surfait.

La question à quatre-vingt mille c'était :

Dick Turpin a-t-il été pendu à ?

a) Londres
b) York
c) Édimbourg
d) Glasgow

Le conseiller financier a opté pour le cinquante/cinquante, et papa s'est mis à fulminer, sous prétexte que tout le monde savait pertinemment que c'était à York. Dorothy a dit que même elle, elle le savait. Finalement, le conseiller a choisi York et il est passé à la question à cent soixante mille euros :

Qui a donné son nom à la roue de sainte Catherine ?

a) Catherine d'Aragon
b) Catherine d'Alexandrie
c) La Grande Catherine
d) Catherine de Médicis

– Je sais, je sais ! j'ai crié.

– Comment peux-tu savoir ça ? D'ailleurs, comment

quiconque pourrait le savoir ? a dit Dorothy en se tournant vers papa. Vous connaissez la réponse, vous ?

— Si j'étais à sa place, je téléphonerais à un ami, et cet ami serait en l'occurrence ce petit bonhomme.

Il a passé son bras autour de mes épaules.

— Catherine d'Alexandrie (IVe siècle), partiellement légendaire, vierge martyre et patronne de la ville de Dunstable, dans le Bedfordshire.

Le conseiller a eu bon, lui aussi. Ce qui l'a amené à la question à deux cent cinquante mille euros :

Quel acteur a été le premier à interpréter le rôle de James Bond ?

a) Sean Connery
b) David Niven
c) Roger Moore
d) Robert Holderness

Le type de la télé a réfléchi sérieusement au problème. Il savait que David Niven avait joué dans *Casino royal* mais il n'était pas sûr que ce soit le premier James Bond. Papa a commencé à s'agiter.

— C'est une question bateau ! On la retrouve dans tous les quiz.

Ensuite, le type de la télé s'est attardé sur le dernier nom. Il a dit :

— C'est ça. Bob Holderness. C'est lui qui jouait le rôle de James Bond à la radio. Avant de passer au cinéma, James Bond passait à la radio. Je choisis la réponse d), Chris.

— Merci, a dit papa.

Il a donc opté pour d), ce qui l'a amené à la question à six cent mille euros :

Combien y a-t-il de vers dans une épigramme ?

a)   4
b)   7
c)   5
d)   14

Papa savait que ce n'était pas quatorze (un sonnet) ni cinq (un limerick). Il les a donc éliminés d'office et opté pour un cinquante/cinquante en espérant que l'un des deux serait encore sur la liste, ce qui lui assurerait la bonne réponse.

Le candidat a haussé les épaules.

— J'ai passé une soirée formidable, merci beaucoup. Je préfère m'en aller avec ce que j'ai gagné.

Anthony a dit :

— C'est le problème avec cette émission. Les gens ne comprennent pas qu'il faut spéculer pour accumuler.

— Il aurait pu tenter le coup, il lui restait encore une chance, a grogné papa.

— Pourquoi n'y allez-vous pas ? Ce serait beaucoup moins frustrant pour vous. Et nettement plus enrichissant. Pensez donc, un million de livres ! Vous seriez millionnaire.

Anthony lui a fait remarquer qu'il s'agissait d'une somme en euros, et donc que ça ne faisait pas autant. Dorothy a répondu qu'elle s'en contenterait tout de même.

– De toute manière, vous donneriez tout aux gens des puits, n'est-ce pas ? j'ai dit.

– Moi ? J'ai bien peur que non, mon chou. En fait, je ne travaille pas pour Water Aid. Je bosse pour une agence. Je recueille des fonds pour ceux qui me payent : la caisse des Monuments historiques en été, les sans-abri à Noël, tout ça. Si j'avais un million, je le mettrais à la banque et j'arrêterais définitivement d'aller faire la quête à droite à gauche.

J'ai été surpris et déçu par la tournure des événements.

Je m'apprêtais à ajouter quelque chose, mais papa a déclaré :

– Je n'ai pas envie d'avoir un million. La moitié me suffirait largement. Ça me permettrait de rembourser l'hypothèque et d'arrêter de faire toutes ces heures supplémentaires pour arriver à joindre les deux bouts. Je passerais un peu plus de temps avec mes fils, peut-être même que je les emmènerais en voyage. Le reste, je le distribuerais.

J'ai réalisé que papa ferait un excellent million-naire – bien meilleur que nous. Dire qu'il souhaitait être riche alors que la maison était bourrée d'argent ! Je brûlais d'envie de tout lui dire. Mais Anthony s'est levé en disant :

– On est censé aller au lit après *Qui veut gagner des millions ?*

– Très bien, allez-y, a dit papa.

– Et tu es censé nous lire une histoire.

– Je vais vous quitter, a dit Dorothy. J'ai passé une soirée merveilleuse mais…

C'est alors que papa et elle ont lancé en chœur :

– … C'était pas tout à fait ça !

Et ils se sont tous les deux tordus de rire.

En partant, elle a ramassé sa poubelle et son manteau. Juste derrière, il y avait une grande maquette faite avec des paquets de céréales. Dorothy s'est écriée :

– Waouh ! Très impressionnant.

Anthony a haussé les épaules.

– C'est l'Île au Trésor. J'ai gagné un prix pour cette maquette.

– Ça ne m'étonne pas.

Moi si. Comment était-elle arrivée là ? Mystère. Mon frère était devenu tellement fort en mensonge que même les boîtes de Weetabix semblaient marcher dans ses combines.

Je suis allé à la fenêtre d'Anthony pour regarder papa et Dorothy se dire au revoir. Papa, très galant, tenait la portière de la voiture. Anthony était allongé sur son lit.

– Viens voir ça, j'ai dit.

– Non, je veux pas.

– Allez, elle est gentille !

– Non, elle n'est pas gentille.

– Ses lasagnes étaient bonnes.

– Non. Les lasagnes de maman étaient bonnes mais

pas les siennes. Elle n'a même pas mis de maïs doux dedans.

Quand il est dans cet état, pas la peine de discuter. Alors j'ai écouté tourner le moteur. Ensuite, j'ai entendu papa donner une grande tape sur le toit de la voiture au moment où Dorothy démarrait. Elle a répondu par un petit coup de klaxon. Quand j'ai voulu sortir de la chambre, Anthony m'a lancé :

— Pourquoi c'est à moi de tout faire ? Pourquoi tu te reposes toujours sur moi ?

— Quoi ?

— C'est toi qui as trouvé l'argent. Tu pourrais quand même m'aider, de temps en temps.

— Mais de quoi tu parles ?

— Dès la minute où on est entré, elle n'a pas quitté le sac des yeux. On aurait dit un appareil à rayons X. Et toi, qu'est-ce que tu as fait ?

— Je lui ai dit bonjour.

— Non, tu n'as rien dit du tout. C'est moi qui ai fait la conversation. Il a fallu que j'invente cette histoire de spectacle de Noël et elle a dit : « J'aimerais bien le voir. »

— Oui, ce serait sympa.

— Damian, au cas où tu aurais oublié, je te signale qu'on ne joue pas dans cette pièce.

— Ah, oui, c'est vrai.

— Elle savait qu'on mentait. Et qui a dû inventer ce mensonge ? Moi. Et qui va devoir se débrouiller pour nous faire jouer dans la pièce ? Moi. Et qui est monté là-haut tout à l'heure pour cacher l'argent dans la boîte du Subbutéo ?

— Toi ?

— Oui, moi. Et qu'est-ce qui s'est passé ? Quelqu'un a sonné à la porte. Est-ce que tu es allé ouvrir ? Non. C'est moi. Et qui c'était ?

— Des chanteurs de Noël.

— Tu parles ! C'était Tricia qui venait m'apporter la maquette de l'Île au Trésor.

— Ah ! Je me demandais aussi…

— Avec son père et sa mère. Elle leur a raconté qu'on était bourré de fric. Et ils venaient nous en demander.

— Et alors ?

— Alors il a dit que la TVA allait l'obliger à fermer son entreprise s'il ne payait pas trois mille livres avant demain et est-ce que je voulais bien lui passer ces trois mille.

— Et tu lui as donné ?

— Si j'avais fait ça, il aurait bien vu qu'on était riche. Et qu'est-ce qui se serait passé ensuite ? Des millions de gens seraient venus frapper à notre porte, jour et nuit, pour nous réclamer des milliers de livres.

— Donc, tu as dit non.

— Je ne pouvais pas non plus ! *Elle* est sortie de la cuisine. Il fallait bien que *je* me débarrasse d'eux. Je leur ai dit qu'ils auraient l'argent à condition qu'ils fassent semblant d'être des chanteurs de Noël. Je leur ai donné trois billets de mille. Elle leur a filé deux euros.

– C'est bien, comme ça ils ne fermeront pas son entreprise.

– Non, c'est pas bien, Damian. Il n'y a rien de bien dans tout ça ! Réfléchis un peu. Tout le monde sait qu'on a de l'argent, pas vrai ? D'ici peu, tout le monde va se demander d'où il vient. Et c'est à ce moment-là que la police s'en mêlera. Tu as pensé à tout ça ?

– Non.

– Moi si. Heureusement. Je leur ai dit qu'on avait gagné en achetant des tickets à gratter.

– Bonne idée.

– Mais elle, elle sait. Elle a deviné que ce n'était pas des chanteurs de Noël. Et tout ce cinéma : « Est-ce que vous connaissez *Le Lierre et le houx* ? », tout ça, c'était pour les coincer. Voilà pourquoi j'ai dit : « Ils ne jouent pas sur commande » et que j'ai refermé la porte.

J'ai bien vu qu'Anthony était ennuyé et fatigué.

– Tu es plus intelligent que moi, tu sais. Beaucoup plus intelligent…

Tout à coup, une lumière froide et bleue a envahi la pièce. J'ai cru que c'était encore une sorte de vision, alors j'ai fait comme si de rien n'était. Mais Anthony l'a remarquée, lui aussi. Il a dit :

– Regarde. Les flics.

En bas, dans la rue, il y avait deux voitures de police avec de gros chiffres peints en noir sur le toit. Un neuf et un vingt-trois. Anthony m'a expliqué

que c'était pour que les hélicoptères puissent les iden-
tifier.

Papa est entré et il a dit :

– Il y a eu un cambriolage.

– Chez nous ? j'ai demandé d'une voix étranglée.

Il a eu l'air surpris.

– Pourquoi veux-tu que ce soit chez nous ? Petit
couillon !

Il m'a ébouriffé les cheveux pendant qu'Anthony
me donnait un discret coup de pied dans les tibias.

– En tout cas, ne bougez pas, a dit papa.

Le policier du quartier s'est dirigé vers chez nous.
Papa est descendu pour lui ouvrir la porte. On s'est
penché par-dessus la rambarde pour écouter. Le cambriolage, c'était chez les mormons.

– Ils sont dans un tel état que je n'ai pas voulu leur
demander, mais je crois qu'une tasse de thé nous
ferait le plus grand bien, a dit l'agent.

– Mais bien sûr, a dit papa.

– Avec des toasts, pendant qu'on y est.

– Pas de problème.

Anthony m'a dit :

– On ferait bien de descendre en douce et de les
suivre jusqu'à la cuisine.

– Pourquoi ?

– Parce qu'avec la bouilloire, on n'entendra pas ce
qu'ils disent.

– Pourquoi tu veux les écouter ?

– Simple question d'information.

C'est vrai que la bouilloire faisait un bruit incroyable. Je ne l'avais encore jamais remarqué. Le policier était en train dire :

— Après tout, si quelqu'un devait être cambriolé à cette époque-ci de l'année, ça tombe bien que ce soit eux. Ces gens-là ne célèbrent pas Noël, si je ne m'abuse. Par conséquent, ça ne leur gâchera pas trop les fêtes.

— Vous croyez ? a dit papa. Dire qu'ils venaient d'acheter plein de matériel, un lave-vaisselle, tout ça… Je suppose qu'ils ont laissé les cartons d'emballage sur le trottoir en attendant que les éboueurs les embarquent, et ça aura attiré l'attention.

— Peut-être. Mais là encore, ils n'ont pas touché au lave-vaisselle. Ni à la télé. Ni au lecteur de DVD. C'est plutôt inhabituel. Ils ont retourné toute la maison mais ils n'ont rien emporté. Apparemment, ils cherchaient quelque chose.

— Quel genre de chose ?

— Un peu de réconfort spirituel et d'encouragement, je présume. En tout cas, statistiquement, le fait qu'ils y soient passés diminue les probabilités de cambriolage dans le voisinage. C'est plutôt rassurant. Deux sucres pour moi, s'il vous plaît. Pour l'inspecteur de la P. J., je n'en sais rien.

Papa l'a aidé à transporter le thé sur les lieux du crime. Anthony a voulu le suivre mais il nous expédiés au lit.

— Ouste ! Circulez, il n'y a plus rien à voir.

Anthony est entré dans ma chambre en disant :

– Tu as entendu ça ? Les cambrioleurs cherchaient quelque chose. Je suppose que tu as deviné quoi, hein ? L'argent. Les types qui ont attaqué le train veulent récupérer leur fric et ils savent qu'il est quelque part dans le coin. Ils ont remarqué que les autres venaient de s'acheter tout un tas de trucs, alors ils en ont déduit que l'argent se trouvait chez eux.

– Mais hier, tu m'as dit que c'était *eux* qui avaient fait le coup !

– Rebondissement de l'enquête, Damian : ils viennent de se faire cambrioler, ça prouve que ce ne sont pas eux les voleurs. Ils ne vont quand même pas se voler eux-mêmes !

– Alors qui sont les voleurs ?

– De toute évidence, c'est Dorothy.

– Non. De toute évidence, non.

– Réfléchis deux secondes. Tu mets des milliers de livres dans sa poubelle. Est-ce qu'elle les donne à son association ? Non. Elle va tout raconter au directeur. Pourquoi ? Pour savoir qui est le généreux donateur. C'est-à-dire toi, pauvre crétin. Une fois qu'elle sait ça, est-ce qu'elle rentre chez elle ? Non. Elle traîne autour de l'école et elle se fait copine avec papa. Pourquoi ? Pour savoir où on habite. Après, la voilà qui se promène chez nous comme si elle était chez elle, elle fouille dans la cuisine et tout et tout. Pourquoi ? Pour nous surveiller de près et essayer de découvrir où on a mis l'argent. La suite, tu la connais, c'est le cambriolage d'à côté.

Je voyais bien qu'Anthony croyait dur comme fer à sa théorie. Mais je voyais aussi que son raisonnement ne tenait pas debout.

— Anthony. Si elle savait que l'argent était chez nous, pourquoi elle aurait cambriolé la maison d'à côté et pas la nôtre ?

— J'en sais rien… Problème de communication, sans doute. Elle n'est pas seule, je te signale. C'est une véritable organisation. Ils sont probablement des dizaines. Ils sont partout. Ils sont tous au courant et ils sont après nous. Et il n'y a pas qu'eux. Tous ceux qui ont entendu parler de cet argent veulent mettre la main dessus. Mais à part ça, tout va bien…

Il n'avait pas l'air bien du tout. On aurait dit qu'il allait se mettre à pleurer.

— Voilà ce qu'on va faire. On va aller le cacher dans ta tanière.

— C'est pas une tanière, c'est un ermitage.

— Peu importe. On en garde un peu chacun et le reste, on le cache là-bas.

— Et si quelqu'un vient voir ?

— Comment ça, quelqu'un ? Personne ne connaît cet endroit.

— Si. L'homme à l'œil de verre.

Il lui a fallu un petit moment, mais il a fini par répéter :

— L'homme à l'œil de verre ?

— Il a passé la tête à l'intérieur, le jour où…

Je n'ai pas continué. Il était au bord des larmes.

— Écoute, Anthony, on n'a qu'à tout dire à papa. Il avait l'air de savoir quoi en faire et d'avoir de bonnes idées…

— T'es vraiment bouché, hein ? On ne peut faire confiance à personne, Damian !

— Mais papa…

— Les pères, les mères, c'est du pareil au même. Tu crois qu'ils sont là, et la minute d'après, ils sont partis. Tu es pourtant bien placé pour le savoir, non ? On est seul, Damian. Mets-toi bien ça dans le crâne.

Le temps que je trouve quelque chose à redire, il avait filé au lit. Il était roulé en boule sous les draps et faisait semblant de dormir.

14

Le lendemain matin, Anthony a transvasé tout l'argent qui était dans la boîte du Subbutéo pour le mettre dans nos sacs à dos.

– À partir de maintenant, on ne le quitte plus. Pas une seule minute. Pas une seconde. Si on le laisse à la maison, il se fera cambrioler, ou alors c'est elle qui finira par le trouver. Et comme on ne peut pas le cacher dans ta tanière ni le mettre à la banque, il faut qu'on le garde sur nous. À moins qu'on se fasse porter malade ?

– Mais on n'est pas malade !

– De toute manière, c'est pas un bon plan. C'est aujourd'hui qu'ils font la sélection pour la pièce. Il faut absolument qu'on décroche un rôle, sinon on sera démasqué.

On a enfilé nos sacs à dos bourrés de billets. Métaphoriquement parlant, l'argent devenait un fardeau.

Dehors, il y avait un homme qui plantait un écriteau : « Quartier placé sous surveillance ». Papa a dit que c'était plutôt ironique d'installer ça le lende-main d'un cambriolage. On s'est mis en route pour l'école. Au bout de la rue, on a croisé Terry IT qui s'apprêtait à monter dans sa voiture. Il nous a mon-tré le panneau.

– Ils ont le sens de l'humour, hein ? Est-ce qu'on vous apprend encore l'humour à l'école ? Si on vous demande de citer un exemple, il est tout trouvé.

– O.K., on y pensera, a dit Anthony, et il a conti-nué à marcher.

En coupant à travers champs, j'ai demandé :

– Et si on n'est pas pris ? Pour la pièce.

– T'en fais pas pour ça.

Quand on était à l'école primaire de Tous les Saints, tous les élèves voulaient faire partie de la pièce de Noël parce que les comédiens avaient droit à une petite fête spéciale après le spectacle. À Great Ditton, apparemment, c'était différent. Quand M. Quinn est entré en disant :

– Alors les CM 1, vous savez que notre classe doit fournir Marie, Joseph et deux ou trois bergers pour le spectacle de la Nativité. Qui voudrait être Joseph ?

J'ai levé le doigt, comme n'importe qui. Mais quand j'ai regardé autour de moi, je me suis aperçu qu'au lieu d'être entouré d'une forêt de bras, j'étais tout seul. Personne d'autre n'avait levé la main. Ils étaient tous là, à me regarder. Je ne comprenais pas. Mais en regardant mieux, j'ai vu que tous les garçons serraient un billet de vingt livres sous leur table. Anthony les avait achetés.

M. Quinn avait l'air mal à l'aise.

– Personne d'autre ?

Je suis resté la main en l'air.

– Pas de volontaire pour Joseph ? Damian serait parfait pour faire un berger. Les saints, il doit en avoir assez, pas vrai ? Et toi, Jake ?

– Impossible, m'sieur. Je suis allergique.

– Allergique à quoi ?

– Aux synthétiques.

M. Quinn l'a regardé avec des yeux ronds.

– La barbe, vous comprenez.

Comme je n'avais pas baissé la main pendant tout ce temps-là, il a bien été obligé de me choisir.

L'essayage des costumes m'a beaucoup plu. J'ai toujours cherché à imiter les saints, mais je ne m'étais encore jamais habillé comme eux. On m'a donné des sandales, une houlette et une grande barbe noire.

Tout en m'aidant à les mettre, M. Quinn m'a dit :

– Saint Joseph n'a rien fait de bizarre, pas vrai ? Il n'a jamais craché de lait, ni lévité ou quelque chose de ce genre ?

– Non. Sauf si vous trouvez bizarre d'avoir reçu la visite d'un ange.

Il m'a regardé d'un œil inquisiteur, et il a dit :

– Non, non. On fera avec.

Anthony devait jouer le rôle d'un Roi mage. Sa maîtresse (Mlle Nugent) a annoncé :

– Nous avons donc Melchior, Gaspard et Balthazar. Lequel veux-tu être ?

– Celui qui amène l'or.

En l'occurrence, c'était Melchior. Mlle Nugent avait fabriqué un gros lingot d'or avec un carton à chaussures enveloppé dans du papier doré. Elle l'a donné à Anthony qui s'est mis à se promener partout avec. Les aspects historiques de la Nativité avaient l'air de l'inspirer. Par exemple, il m'a dit :

– Est-ce que tu sais combien vaudrait un bloc d'or de cette taille-là, au cours d'aujourd'hui ? Un max. C'est quand même curieux, non ?

– Quoi ?

– Qu'il ait reçu tout cet argent à sa naissance et qu'il soit devenu si pauvre en grandissant. Peut-être qu'ils ont tout dépensé d'un seul coup. Ça a dû être un grand moment.

On a fait une grande répétition en costume. Après les cours, on n'est pas rentré à la maison. On avait tous apporté des sandwiches et on les a mangés en classe en attendant notre tour pour le maquillage. La dame du maquillage, c'était la mère de Tricia. Il y avait des dizaines de petites filles déguisées en anges. Elles devaient rester dans le couloir pour s'entraîner à chanter *Douce nuit* et *Le Petit Âne* jusqu'à ce que ça ressemble vraiment à des voix d'anges. Mlle Nugent n'arrêtait pas de leur donner de l'orangeade. Je savais bien que ce n'était pas des anges, mais leur présence me rassurait quand même.

La mère de Tricia m'a dessiné des rides avec un crayon à sourcil pour me donner l'air vieux, puis elle m'a saupoudré les cheveux avec de la farine. J'étais prêt à monter sur scène.

La veille, j'étais allé sur Google pour trouver des informations sur saint Joseph. Je crois que Mlle Nugent a trouvé ça très utile. Par exemple, quand ça a été à moi d'aller frapper à la porte de l'auberge, elle m'a dit :

– Rappelle-toi, Damian, tu es fatigué. Très fatigué. Saint Joseph a fait un long chemin à pied depuis Nazareth. Il est épuisé, tu comprends ?

– Oui, mais il était charpentier, j'ai répondu. Physiquement parlant, il était donc en pleine forme. Et puis les longues marches, c'était fréquent à l'époque. Les gens étaient habitués. Pour eux, c'était comme de prendre le bus. Et il ne faut pas oublier qu'ils allaient avoir un bébé, donc ils ne devaient pas tellement penser à dormir. À mon avis, ils étaient sans doute plus stressés que fatigués.

À la manière dont elle a dit « Peu importe » avant de filer vers les Rois mages, on voyait bien qu'elle était impressionnée.

Quand je suis sorti de scène, la mère de Tricia a trouvé que ma barbe était trop serrée.

– Tes oreilles sont toutes rouges, elle m'a dit.

L'élastique doit être trop tendu, essaie d'arranger ça toi-même.

Je suis allé dans les toilettes des garçons pour desserrer l'élastique devant la glace. Il y avait quelqu'un d'autre dans les toilettes. Un homme avec une énorme barbe noire et un grand bâton.

J'ai dit :

— Saint Joseph, dates inconnues.

— Je ne dirai qu'une chose : tu fais du bon boulot.

— Merci beaucoup. Je n'ai pas trop forcé sur le côté stressé ?

— Pas du tout ! J'étais terriblement nerveux. La façon dont tu joues cette scène me replonge des siècles en arrière, on s'y croirait.

— Merci.

— Tu veux que je te raconte comment s'est passé l'accouchement ? L'obstétrique a tellement évolué depuis...

— Je crois que nous allons sauter ce passage.

— Très bien. Alors il ne me reste plus qu'à te dire « merde » !

Dans le couloir, M. Quinn m'a arrêté.

— Dis donc, Damian, tu ne vas tout de même pas te promener avec ce sac toute la soirée, j'espère ?

Je m'étais tellement habitué à l'avoir sur le dos que je l'avais oublié. Mais si je l'enlevais, où le mettre ? J'ai regardé Anthony. Il a haussé les épaules.

— À quoi ça te sert de garder ton sac ? a demandé M. Quinn.

De nouveau, je me suis tourné vers Anthony. Il m'a regardé d'un air implorant.

— Tu n'en as pas besoin, n'est-ce pas ? a insisté M. Quinn.

Il s'est approché. Visiblement pour me l'enlever. J'ai lâché :

— Ma maman est morte.

Il a reculé immédiatement en levant les mains.

— O.K. Je suis sûr que saint Joseph était très chargé ce jour-là. Si tu allais répéter avec Dave ?

Dave, c'était l'âne. Il était en contreplaqué recouvert de fausse fourrure, avec des sacoches en toile bourrées de paille. On l'avait installé sur un socle à roulettes. Je l'ai emmené dans le couloir et je me suis entraîné à le tirer tout du long, avec Marie (Rebecca Knowles) sur son dos. Ça m'a pris du temps, mais j'ai fini par avoir le coup de main. Pilotage automatique sur le lino, puis demi-tour en trois manœuvres devant les portes coupe-feu.

Rebecca n'arrêtait pas de dire :

— Je serai la mère de Dieu, je serai la mère de Dieu, et on entendait les anges qui répétaient *Par une nuit étoilée* dans la classe de Mlle Nugent. J'aurais voulu passer ma vie dans un spectacle sur la Nativité.

Ce soir-là, je chantonnais encore *Par une nuit étoilée* en allant me coucher. J'avais appris qu'il y aurait une collecte au profit de Water Aid après la pièce. Les anges étaient censés distribuer des enveloppes au début et les ramasser à la fin. J'avais réussi à dénicher un paquet d'enveloppes. Je me suis installé par terre et j'ai glissé un billet de vingt livres dans chacune. J'avais l'intention de les emporter dans un sac et de les remettre à l'ange Gabriel.

Soudain, une grande sandale en cuir s'est abattue sur mon tas d'enveloppes. Dedans, un énorme pied velu. J'ai levé la tête et j'ai aperçu une longue robe marron avec un homme à l'intérieur. Autour de la taille, il portait une ceinture où étaient accrochées sept grosses clés en fer. En me redressant, je me suis cogné à la plus grande. L'imposant bonhomme a poussé un juron. Je ne dirai pas lequel car cela n'apporterait rien à l'histoire.

Ensuite il a dit :

– Surtout ne mets pas ton nom au dos des enveloppes, ils le feraient passer à d'autres organismes de charité.

J'ai dit :

– Saint Pierre (mort en 64) ?

Il a encore lâché un gros mot.

– M'en parle pas, il y a sûrement des façons plus douces de s'en aller. En tout cas, si tu mets ton adresse au dos, tu seras assailli de tous les côtés. Tous les quêteurs et toutes les quêteuses de la chrétienté viendront t'agiter leur sébile sous le nez. Crois-moi, je sais de quoi je parle. Je suis infaillible.

Effectivement, j'avais mis notre adresse sur certaines enveloppes – mais juste sur quelques-unes.

– Elle est à toi ? m'a demandé saint Pierre, une clé à la main.

C'était celle de notre ancienne maison. Je la laisse toujours sur le rebord de la fenêtre.

– Canon à pompe avec bouterolle perforée… La perfection technologique. L'action du cylindre est carrément miraculeuse. Et je m'y connais ! Les clés, c'est ma spécialité. À propos de cet argent…

– C'est de l'argent volé.

– Je sais. Je suis le patron des clés, des serrures et des dispositifs de sécurité en général. Je sais très bien que c'est de la fauche !

– Je suppose qu'on doit le rendre, alors ? Mais si on fait ça, ils le brûleront. Et ce n'est pas bien non plus, n'est-ce pas ? Je voudrais vraiment bien faire, mais tout va de travers.

– Normal, c'est le stress. Tu es stressé, je suis stressé, tout le monde est stressé. Comme je viens de te le dire, je suis responsable de toutes les affaires de clés, de serrures et de sécurité. Par-dessus le marché, il faut que je m'occupe des marins pêcheurs, des papes, de Rome, etc. J'en ai plein les bottes (troisième gros mot). Et avec tout ça, il faut encore que je fasse le portier, puisque c'est à moi de surveiller les entrées et les sorties.

– Et vous voyez défiler tout le monde ?

– Ouais. Pourquoi, tu cherches quelqu'un ?

J'ai commencé à dire « Eh bien… » et puis j'ai changé d'avis.

– Non. C'est pas grave.

Il m'a regardé et s'est assis sur mon lit.

– Je vais te confier un truc que je n'ai jamais dit à personne. Même pas à Luc ou à Marc ou à Jean – et pourtant ils me l'ont demandé plus d'une fois. J'ai toujours gardé ça pour moi. Mais… tout ce que je vais te dire est la pure vérité. Bon. Tu m'écoutes ?

Et il s'est lancé dans l'histoire de la multiplication des pains. Je n'ai pas osé lui dire qu'on était assez bien documenté sur le sujet et que c'était archiconnu. Il m'a raconté comment la foule avait suivi Jésus dans le désert et comment Jésus n'était pas du tout organisé, comme garçon. Chaque fois qu'il avait faim, il réagissait comme si c'était un événement tout à fait inattendu. « S'il avait dû faire l'ascension de l'Everest, m'a dit Pierre, il n'aurait même pas pensé à prendre une écharpe. » Alors tu penses bien qu'il n'avait pas prévu de pique-nique pour tous ces gens. La police prétend qu'ils étaient cinq mille, mais d'après mes calculs, c'était facilement le double. Et ils avaient tous une faim de loup. Eh bien, tu sais ce qu'il a fait ?

Sans vouloir gâcher son histoire, je connaissais la réponse par cœur :

– Il a sorti cinq pains et deux poissons.

– Eh bien non. Tu vois, j'étais sûr que tu allais me dire ça. Tous ceux qui étaient présents ce jour-là ont confirmé cette version, bien qu'elle soit fausse. Et tu veux savoir la raison ? Culpabilité collective, voilà tout.

– Pardon ? J'ai du mal à comprendre.

– Laisse-moi t'expliquer. Un petit garçon (à peu près de ta taille) s'est avancé vers lui. Il s'appelait… je ne me rappelle plus comment. Il m'arrive encore de le croiser, de temps en temps. Bref, ce gamin arrive près de Jésus avec des petits pains et deux sardines sur une assiette. Jésus les bénit, et puis il les passe au suivant. Il ne comptait pas faire de miracle – il fait partie de ces gens qui pensent que les choses s'arrangent toujours d'une manière ou d'une autre, si tu vois ce que je veux dire. Donc, il fait passer les sardines à la personne suivante, qui les passe aussitôt au suivant. Et tu sais pourquoi ? Parce que la personne en question avait un gâteau au miel et un morceau d'agneau cachés dans sa besace. Du coup, il fait tourner le plat et il en profite pour sortir son gâteau, ni vu ni connu, comme s'il venait de se servir au passage. Le suivant, lui, il avait des dattes plein les poches. Alors il fait pareil : il en sort une discrètement et il passe l'assiette à son voisin. Et ainsi de suite. La vérité, c'est que tous ces saligauds avaient apporté quelque chose à manger, mais ils préféraient le garder pour eux. Bien planqué. Chacun ne pensait qu'à sa pomme, tu vois. Ils se seraient laissés mourir de faim sur place plutôt que de montrer ce qu'ils avaient aux autres. En attendant, les sardines et les petits pains continuent à circuler pendant que chacun sort ses trucs au fur et à mesure. Finalement, ils se mettent tous à manger et, dans la foulée, ils commencent à partager.

Et voilà comment a démarré le plus grand pique-nique de tous les temps. L'assiette finit par revenir à son point de départ, c'est-à-dire à Jésus et au gamin – j'ai son nom sur le bout de la langue – et il y a toujours autant de pain et de poisson dessus. Jésus est un peu interloqué, mais en regardant autour de lui (il n'a pas cessé de parler pendant tout ce temps-là), il s'aperçoit que tout le monde est en train de manger. Alors il demande ce qui s'est passé et je lui réponds : « Un miracle. » Je ne voulais pas encore débiner les autres devant lui, tu comprends, je savais qu'il avait horreur de ça et la soirée s'annonçait plutôt bien. Sur le coup, il n'a rien dit et j'ai cru que je l'avais bien eu. Mais avec le temps, j'ai fini par comprendre que c'était une sorte de miracle. Et même un de la plus belle sorte. Car ces gens-là ne manquaient de rien sauf d'une chose – je ne sais pas comment appeler ça – le courage, peut-être, ou la grâce. Et puis ce petit garçon s'est levé et tout le monde s'en est trouvé grandi. Ils sont restés des heures à parler, à rire et à se nourrir de cette… grâce, disons. Tout ça parce qu'un enfant s'était montré généreux. Ce môme ne pensait pas changer le monde, non, il pensait seulement au déjeuner et il a fait la bonne chose au bon moment. Avec du pain et deux sardines, ce petit garçon a nourri cinq mille personnes. Et ça, c'est le chiffre de la police. Comme je te l'ai dit, ils étaient deux fois plus nombreux, facile. Tu comprends à quoi je fais allusion ?

– Un peu.

– Je fais allusion à toi.

– Alors là, je suis complètement perdu.

– Écoute, je ne peux pas en dire trop. À cause de ces histoires de libre arbitre, tout ça… Mais je vais te dire une chose. Tu vois cette clé ?

C'était la clé de notre ancienne maison.

– Il y a tout l'art et le génie d'un serrurier, là-dedans. Garde-la sur toi. Fais-y bien attention, c'est tout ce que je peux te dire sans dépasser les limites. Garde-la sur toi. Fais-y bien attention.

15

C'était le grand soir. Dans les coulisses, il fallait qu'on marche sur la pointe des pieds pour qu'on ne nous entende pas, côté public. Anthony et moi, on a regardé à travers le rideau. La salle était pleine de parents. Ils étaient tous perchés sur des chaises minuscules et ils avaient presque tous un caméscope à la main. Dans le fond, on a aperçu papa qui jouait des coudes pour se trouver une place. Dorothy était avec lui.

— Qu'est-ce qu'il avait besoin de l'amener ? a dit Anthony.

— C'est toi qui l'as invitée, je lui ai fait remarquer.

Et puis ça a commencé. Un ange de CE 2 est venu me voir pour m'avertir que Marie allait avoir son bébé, alors on s'est mis en route pour Bethléem et tous les autres anges se sont avancés en chantant *Le Petit Âne*. On a traversé toute la scène. Une fois au bout, on s'est retrouvé caché par le rideau. Marie est descendue pour se faufiler derrière l'auberge, côté cour, mais comme Dave n'avait pas la place de passer, j'ai dû faire le tour par-derrière en le tirant à toute vitesse dans le hall. Après avoir dépassé le bureau du directeur, je suis ressorti par la porte du réfectoire.

Saint Joseph m'attendait. Il m'a dit :

– C'est formidable, ça me rappelle ma jeunesse. Regarde… j'en pleure.

– Merci. Enfin non, désolé de vous faire de la peine, mais…

– Au contraire, c'est la catharsis, c'est très bien.

– Bon. Faut que je file, on m'attend pour la réplique.

J'ai mis le cap sur la scène mais, tout à coup, Dave s'est bloqué. Je me suis retourné et c'est là que je l'ai vu. L'homme à l'œil de verre. Il retenait mon âne par la queue. Moi, j'ai retenu ma respiration.

Il m'a dit tout bas :

– Tu te souviens de moi, hein ?

J'ai hoché la tête.

– Le pauvre homme de l'autre jour, tu te rappelles ? Nouveau hochement de tête.

– Je crois que tu as encore de l'argent pour moi, pas vrai ?

Il s'est penché pour lorgner sur mon sac. Je me suis un peu décalé pour l'empêcher de voir, mais il l'avait déjà repéré. Il s'est avancé vers moi. Juste à ce moment-là, quelqu'un a ouvert une porte et tous les anges sont arrivés en rigolant, suivis de Mlle Nugent qui m'a lancé :

– Dépêche-toi, Damian ! Tu devrais déjà être à Bethléem à l'heure qu'il est.

Œil-de-verre a reculé vers les casiers, loin de moi et de mon sac. Apparemment, il ne tenait pas à se faire voir.

— Damian ! Par pitié ! a gémi Mlle Nugent.

J'ai regardé Œil-de-verre et je lui ai fait comprendre par gestes qu'il fallait que j'y aille. Et voilà, pas plus compliqué que ça. Je me suis dirigé vers la scène, entouré par les anges.

— Bon sang, Damian ! Que fais-tu avec ce sac à dos totalement anachronique ? m'a dit Mlle Nugent. Tu crois que les gens avaient des sacs Nike au Ier siècle ?

Je ne savais pas quoi faire. Mais M. Quinn était là (c'est lui qui actionnait l'étoile des Rois mages avec une poulie). Il a dit à voix basse :

— Tout va bien, Mlle Nugent, je lui ai permis de le garder, et puis il lui a chuchoté quelque chose à l'oreille.

Mlle Nugent est partie vers son piano en levant les yeux au ciel.

Les anges étaient censés chanter *Le Petit Âne* une deuxième fois avant qu'on entre en scène, Rebecca et moi. Ça me laissait le temps d'agir. Et voilà ce que j'ai fait : j'ai sorti toute la paille qu'il y avait dans les sacoches de Dave et je l'ai remplacée par les billets. Ensuite j'ai remis la paille dans mon sac à dos. Drôlement rusé, non ?

Après ça, je suis allé trouver M. Quinn et je lui ai tendu le sac. Il a eu l'air très surpris (et très content).

– Je n'en ai pas besoin finalement, je lui ai dit. Je vais l'accrocher au vestiaire ?

– Non, inutile, je vais y aller à ta place. C'est très bien, Damian, bravo. Tu fais des progrès, on dirait !

Et il m'a ébouriffé les cheveux avant de prendre le sac.

Je les ai vus s'éloigner, mon sac et lui.

C'était à nous d'entrer en scène et de frapper à la porte de toutes les auberges pour demander s'il y avait de la place. C'était toujours la même porte mais chaque fois un aubergiste différent.

– Auriez-vous une chambre pour la nuit ?

– Non, on est complet. Vous ne savez pas qu'on est en plein recensement ?

Derrière papa, j'ai aperçu Œil-de-verre. J'ai tourné le dos au public – même si ça ne se fait pas – pour lui montrer que je n'avais plus mon sac sur moi.

– Auriez-vous une chambre pour la nuit ?

– Pas pour des gens comme vous. Sortez d'ici, avec votre âne miteux !

À la troisième auberge, j'ai entendu la porte coupe-feu se refermer doucement. Je savais qu'il était parti à la recherche de mon sac. Il le trouverait dans le vestiaire, bourré de paille. Et là, qu'est-ce qu'il ferait ? Sans doute il me tuerait.

– Auriez-vous une chambre pour la nuit ? j'ai demandé, un peu plus vite que d'habitude. Ma femme va bientôt accoucher.

– Pas vraiment. Mais si ça peut vous dépanner, il

reste un coin dans l'étable. Au moins, vous y serez au sec et au chaud.

On est entré dans l'auberge et Rébecca a dit :

– Oh, merci !

Dans la salle, tout le monde a fait « Aaaahhh. » Les flashes des appareils photo se sont mis à crépiter comme des étincelles. On s'est glissé derrière le rideau.

M. Quinn a tiré d'un coup sec sur la poulie pour faire avancer l'étoile. Les Rois mages devaient la suivre en chantant *De bon matin*. Normalement, on était censé revenir en scène à la fin du troisième couplet (celui qui parle de la myrrhe). Sauf que j'avais un autre plan. Et ce plan, c'était : disparaître avec l'argent.

Les trois mages ont commencé à chanter, *De bon matin…* Il ne fallait pas qu'on s'aperçoive de mon absence avant le troisième couplet, sinon j'allais rater ma réplique. Mais j'avais quand même un avantage de trois couplets. Comme les sacoches étaient trop lourdes à porter, je les ai laissées là où elles étaient, sur le dos de Dave, et je suis parti en le traînant derrière moi. J'avais l'intention de me diriger droit vers la sortie, mais j'avais oublié que les anges attendaient dans le couloir. Il a fallu que je parte dans la direction opposée, vers le bureau du directeur et les vestiaires. Autrement dit, là où il y avait mon sac. Et peut-être bien Œil-de-verre aussi. J'ai avancé lentement tout en tendant l'oreille.

Les mages en étaient à « De beaux présents… » Au milieu du vestiaire, là, par terre, il y avait mon sac à dos avec un tas de paille juste à côté. Donc il l'avait ouvert. Donc il savait que je l'avais roulé. Donc il devait déjà être à ma recherche.

Comme je n'avais pas le temps de me changer, j'ai décroché mon manteau et je l'ai enfilé par-dessus mon déguisement de saint Joseph pour ne pas me faire trop remarquer. Ensuite je suis reparti, toujours en trimballant Dave, en direction de la grande porte. Là, je me suis figé sur place. M. Quinn était dehors, juste devant, en train de fumer une cigarette. Les Rois mages en étaient à « Or, myrrhe et encens… ». Bizarre de voir M. Quinn fumer. Il doit pourtant savoir que c'est mauvais pour la santé. Tout à coup, il a jeté sa cigarette, il est rentré dans l'école et il est retourné dans la salle. J'ai repris mon âne, j'ai franchi la porte, il a dégringolé les marches en rebondissant et je me suis mis à courir vers le parking. J'allais si vite qu'il a failli basculer sur le côté.

Je me suis retourné pour voir si Œil-de-verre était à mes trousses. Non. Pas encore. J'ai cavalé jusqu'à la route et, hop ! sous l'abribus. Miracle, il y avait justement un bus à deux étages qui arrivait. À travers les vitres du haut, j'ai aperçu quelques personnes assises. Leurs visages se découpaient dans la lumière. Elles ont baissé les yeux sur moi, comme un chœur d'anges. J'ai attrapé les sacoches et je suis monté, laissant Dave sous l'abribus.

J'ai demandé un ticket pour Smithdown Road. Ça coûtait soixante-quinze pence. J'ai réalisé que j'avais des milliers de livres sur les épaules mais aucune monnaie sur moi. Ce que j'avais de plus petit, c'était un billet de dix. Le chauffeur du bus m'a regardé en répétant :

— Soixante-quinze pence.

J'ai fait mine de tâter mes poches. Je ne voulais pas ouvrir les sacoches de peur de déclencher une avalanche de billets.

— Est-ce que je peux m'asseoir une minute ? Je crois que...

— Tu as gardé ton déguisement et ton argent est resté dans ton froc, je parie ! m'a dit le chauffeur.

Je ne voulais pas mentir. Pas dans la robe de saint Joseph, alors j'ai juste dit :

— Désolé.

— Je veux bien te laisser passer si tu me chantes *Il est né le Divin Enfant*, a repris le chauffeur en redémarrant.

Je me suis assis à l'avant et j'ai commencé à chanter tout bas. Dans le rétroviseur, j'ai aperçu la tête de Dave qui dépassait de l'abribus. On aurait dit qu'il était à l'étable. À part lui, personne en vue. J'ai continué à chanter :

— ... *le mystère annoncé s'accomplit*...

Après coup, papa m'a raconté ce qui s'était passé pendant la pièce. Au moment de mon entrée en scène, Marie s'est avancée mais pas moi. Forcément. Elle est restée assise près de la mangeoire en attendant qu'il se passe quelque chose. Comme il ne se passait rien, elle a dit d'une belle voix forte :

– Nous sommes très bien, ici, Joseph.

Elle me croyait sans doute dans les coulisses. Mais quand elle a vu que je n'arrivais toujours pas, elle a répété, légèrement plus fort :

– Nous sommes très bien, ici, Joseph !

Les gens ont commencé à pouffer. Papa m'a dit qu'il avait commencé à s'inquiéter. Je parie qu'Œil-de-verre aussi. Il était sans doute prêt à se ruer vers la sortie pour se lancer après moi. Marie a répété encore une fois :

– J'AI DIT : NOUS SOMMES TRÈS BIEN ICI, JOSEPH !

Et là, elle s'est arrêtée. Quelqu'un est entré en scène. Ce quelqu'un, ce n'était pas moi mais un homme avec une longue barbe et une grande robe et – c'est papa qui l'a dit – une sorte de halo. Jusque-là, les gens étaient coincés sur leur petite chaise. Mais, quand ils ont vu ça, ils se sont tous détendus, comme s'ils se réchauffaient au coin d'un bon feu de bois. D'après papa, c'était sûrement M. Quinn qui s'était rapidement enveloppé dans une couverture et enroulé la tête avec une serviette.

– Je suppose qu'il a utilisé un de ces bâtons phosphorescents qu'on emporte en camping. Tu sais, ceux qu'on casse au milieu pour qu'ils diffusent de la lumière. L'effet était très réussi. On ne distinguait pas vraiment son visage mais il y avait ce halo bizarre autour de lui. Quand j'ai vu ça, j'avoue que pendant un instant, j'ai oublié de me faire de la bile pour toi.

Moi je savais bien que ce n'était pas M. Quinn. C'était le vrai Joseph qui m'avait remplacé au pied levé, de manière à ce que tout le monde soit obligé de le regarder, même Œil-de-verre. Alors merci, saint Joseph.

Je suis descendu du bus à Smithdown Road et j'ai remonté Panama Street. C'était la première fois que j'y revenais depuis le déménagement. Une étoile bizarrement brillante est apparue, pile dans l'espace entre deux maisons. Elle éclairait la porte du numéro 37. J'ai enfoncé la clé dans la serrure, je l'ai fait tourner comme d'habitude et je suis entré.

Je savais que la maison serait vide, évidemment. J'avais aidé à la vider et personne ne l'avait achetée. Donc je m'attendais à ce qu'elle le soit. Mais pas à ce point-là. Je n'avais jamais vu d'endroit aussi vide. Comme si je m'étais réveillé en catastrophe un beau matin et précipité vers l'escalier, avant de réaliser qu'il n'y en avait plus et de basculer dans une sorte de néant. C'était exactement ça. Le néant.

Et aussi le vide sonore. La maison sonnait creux. On se serait cru dans un sous-marin. Quand j'ai commencé à monter l'escalier avec mes sacoches, on aurait dit qu'un géant tambourinait contre les flancs du sous-marin. Je me suis dépêché d'arriver au premier et j'ai ouvert la porte du cagibi où on mettait le linge à sécher.

À l'intérieur, il n'y avait pas de serviettes ni de draps comme d'habitude. Mais derrière la porte, il y avait toujours la grande perche métallique avec un crochet au bout. Celle qui servait à ouvrir la trappe et à faire descendre l'échelle télescopique qui mène au grenier. J'ai pris la perche, je me suis placé sous la trappe et j'ai tiré sur le loquet d'un coup sec. La trappe s'est ouverte et elle a cogné contre le mur. L'échelle télescopique s'est dépliée en cliquetant comme si dix mille parachutistes en ferraille atterrissaient sur un toit en tôle ondulée. Et puis elle s'est arrêtée brusquement, avec le barreau du bas qui se balançait juste au-dessus de ma tête. Du bout de la perche, j'ai tapoté sur le loquet pour faire descendre le reste et dix mille parachutistes de plus ont dégringolé. Ensuite, tout s'est tu.

J'ai monté les sacoches au grenier. C'était la première fois que j'y allais. Mais j'avais vu papa y monter une fois ou deux. J'avais toujours eu envie de savoir ce qu'il y avait là-haut. En fait il n'y avait rien du tout. C'était encore plus vide que le reste de la maison, à part une grande citerne d'eau en métal gris. De temps en temps on entendait un petit gargouillis. Mais c'était tout. Il y avait un espace entre la citerne et le mur. C'est là que j'ai caché les sacoches avant de redescendre.

Juste au moment où je m'apprêtais à repousser

l'échelle, j'ai entendu du bruit vers la porte d'entrée. J'ai retenu mon souffle. Pas de panique. Ils ne peuvent pas entrer. Je me suis souvenu de ce que saint Pierre m'avait dit au sujet de la clé et j'ai mis la main dans ma poche pour vérifier que je l'avais toujours sur moi. Non. Je l'avais laissée sur la porte. Je l'ai entendue tourner dans la serrure. J'ai regrimpé l'échelle en quatrième vitesse et je l'ai repliée derrière moi. Au moment où je me penchais pour refermer la trappe, j'ai entendu des pas dans l'escalier. Une fois la trappe bloquée, je suis allé à tâtons jusqu'au fond du grenier. J'osais à peine respirer. À présent je les entendais marcher juste en dessous de moi. J'ai essayé de me glisser entre la citerne et le mur.

Tout à coup, la citerne a tremblé dans un grondement de tonnerre. À l'intérieur, l'eau s'est écoulée à flots, et puis elle est revenue en masse. J'ai cru qu'elle allait exploser. Je me suis vite éloigné. En bas, quelqu'un venait de tirer la chasse d'eau. J'ai essayé de contrôler ma respiration. C'est sûrement ça qui m'a donné le hoquet. Il fallait que ça m'arrive à un moment pareil ! Après mon premier hoquet, j'ai écouté de toutes mes forces. Les bruits de pas s'étaient arrêtés. Ceux du dessous avaient entendu – ou cru entendre – quelque chose, et maintenant ils tendaient l'oreille. J'ai retenu mon souffle. J'ai entendu des voix et encore des pas. Deuxième hoquet. Les pas se sont arrêtés à nouveau. J'ai sorti la barbe de saint Joseph de ma poche et je l'ai mise devant ma bouche pour étouffer le bruit. C'est à ce moment-là que j'ai entendu le thème de *Harry Potter*, tout près de moi. Le portable vidéo ! Je l'avais laissé dans la poche de mon manteau et c'était lui qui sonnait. Que faire ? Rien. C'était trop tard. Avant même que j'aie le temps de l'éteindre, la trappe du grenier s'est ouverte en grand. Un cube de lumière a surgi dans le grenier. L'échelle télescopique s'est mise à tanguer et j'ai failli prendre l'extrémité en pleine figure. Puis elle s'est dépliée en cliquetant. S'est arrêtée à mi-hauteur en se balançant. Ensuite quelqu'un a défait le loquet et l'échelle a heurté le sol. Il y a eu un instant de silence. Et puis quelqu'un a posé le pied sur le premier barreau. Je grelottais sur place, les yeux rivés sur le haut de l'échelle qui tremblotait sous le poids de ce quelqu'un. Un barreau de plus. Un autre tremblotement. Pas un mot. Encore un hoquet. Puis deux barreaux escaladés très rapidement, coup sur coup. J'ai essayé de reculer dans l'ombre. L'échelle a encore trembloté. Une main s'est avancée à tâtons. J'ai aperçu une nuque d'homme. Alors j'ai crié, crié, crié, crié sans pouvoir m'arrêter. L'homme s'est tourné face à moi. C'était papa.

– Bon sang Damian ! Qu'est-ce que tu fiches ici ?

Confidentiellement parlant, j'avoue que j'ai pleuré. Il m'a tiré vers lui et il a descendu l'échelle en me portant. J'avais du mal à respirer. Il a continué à me tenir dans ses bras pendant un moment, sans rien dire à part « Chut ». Il est entré dans mon ancienne chambre et m'a murmuré à l'oreille,

– Tu te rappelles ? C'est ton ancienne chambre. Allez, calme-toi, reprends ton souffle.

C'est bien ce que j'essayais de faire, mais mon hoquet redémarrait à chaque fois et il se mélangeait à mes sanglots. C'était horrible. Papa m'a emmené dans la pièce d'à-côté.

– Et là, tu sais, c'était ma chambre et… la sienne.

On est allé à la fenêtre et on a regardé dehors.

– Le jour du déménagement, a dit papa, je t'ai vu prendre la clé. Quand tu as disparu au milieu du spectacle, on a filé à la maison pour voir si tu étais rentré. J'ai remarqué que la clé n'était plus sur le rebord de ta fenêtre et… c'est comme ça que je suis arrivé ici, tu comprends ?

Anthony a sorti son portable vidéo.

– J'étais inquiet pour toi, alors je t'ai appelé. Tu n'as pas vu que c'était moi sur l'écran ?

– Il était dans la poche de mon manteau.

Papa a lorgné le téléphone en fronçant les sourcils.

– Est-ce que quelqu'un aurait l'amabilité de m'expliquer ce qui se passe ?

J'ai regardé Anthony. Personnellement, je savais que ça ne pouvait plus durer. Il a hoché la tête et j'ai dit :

– Il y a un sac derrière la citerne.

Papa est remonté au grenier et il en a redescendu

les sacoches. Elles ne fermaient pas bien. Au moment de reprendre l'échelle, il a vu ce qu'il y avait à l'intérieur. Ce qu'il a dit alors m'a laissé perplexe. Ensuite, il a demandé :

– Mais bon sang ! D'où ça sort ?

– C'est tombé du ciel. J'ai cru que c'était Dieu qui nous l'envoyait.

– Dieu ? Pourquoi diable Dieu irait-il vous donner… ?

Il a inspecté le contenu du sac.

– Au départ, il y avait 229 370 livres, a dit Anthony. Ce qui reste est encore valable vingt-quatre heures.

Papa a poussé une sorte de soupir et a regardé l'argent en disant :

– Et vous croyez que vous avez le droit de le garder ?

Vu la façon dont il avait dit ça, on a compris qu'on avait fait une bêtise. Comme quand on fait une pâte à tarte au lieu d'un gâteau. Anthony et moi, on s'est regardé.

– Bande de petits couillons, a repris papa. Allez, venez.

– Qu'est-ce que tu vas faire ?

– Je vais aller le rendre, quelle question !

– On va avoir des ennuis ?

– Sûrement pas. De toute manière, ils comptaient le brûler. Ils seront sans doute très contents de vous.

Il m'a ébouriffé les cheveux.

– Alors on aura une récompense ? a demandé Anthony.

– Allez ouste, en voiture, a répondu papa en riant.

On est rentré en passant par le centre-ville et il a ouvert le toit de la voiture pour qu'on puisse voir les illuminations de Noël défiler au-dessus de nos têtes.

Il y avait des angelots blancs tout dodus, des cloches rouges et vertes et des phrases comme « Paix sur la Terre » ou « Joie et Bonheur ». Et je me suis dit : « Pas de problème, papa va tout arranger. »

J'ai remarqué que les saints Nicolas illuminés ne ressemblaient pas du tout au vrai Nicolas, mais ça m'était égal.

Quand on est arrivé à la maison, devinez qui nous attendait sur le pas de la porte ? Dorothy en personne. « Décidément, je me suis dit, tout est bien qui finit bien. »

Mais ce n'était pas fini. Et ça n'avait rien de bien.

16

Ce n'est pas rare de passer un mauvais Noël. Déjà à l'époque du premier Noël de tous les temps, le roi Hérode, en apprenant qu'un autre roi était né dans une étable, a cru qu'il s'agissait d'un complot contre lui, alors il s'est fait beaucoup de souci. Autant dire qu'il a passé une mauvaise soirée. Après avoir réfléchi au problème, il a décidé que le plus sûr était d'envoyer ses soldats tuer tous les petits garçons qui venaient de naître. Cette année-là, les bébés de Judée ont passé un Noël encore pire que lui.

De toute évidence, Jésus s'en est sorti. Et pourtant, statistiquement, c'est vraiment de sa faute si les autres sont morts. Encore des dommages collatéraux, comme ceux qui se sont fait transpercer par des éclats de bois mortels pendant l'exécution de sainte Catherine. C'est fou le nombre de gens qui sont victimes d'un accident, tout ça parce qu'ils se trouvent à la mauvaise place au mauvais moment.

Papa a été à la fois surpris et content de voir Dorothy sur le pas de la porte. Il a fait des appels de phares et donné un petit coup de klaxon. Mais à la lumière des phares, j'ai aperçu son visage. Elle se mordait les lèvres d'un air inquiet. Papa s'est garé et il est sorti. Anthony a sifflé entre ses dents :

– Il a pas intérêt à lui dire. Et toi non plus !

En descendant de voiture, j'ai vu que Dorothy tenait la main de papa. Elle m'a tendu son autre main pour que je la prenne. Encore une fois, j'ai senti l'odeur de son shampooing à l'orange. Elle était en train dire :

– En passant par là, j'ai vu que la porte était ouverte alors je suis entrée. J'étais loin de m'imaginer que… Je suis vraiment désolée. Je les ai appelés immédiatement.

On avait été cambriolé. Ils avaient fait sauter la serrure de la porte d'entrée et le bois était tout éclaté autour. Le sapin de Noël était abattu sur le sol, au milieu d'un fatras de boules fracassées et de guirlandes emberlificotées. On aurait dit qu'il avait été pris dans une tornade. Les cadeaux étaient écrabouillés, les plaquettes en céramique du chauffage à gaz éparpillées dans toute la pièce. Dans la cuisine, ils avaient vidé tous les placards et la poubelle aussi, allez savoir pourquoi. Papa s'est assis sans rien dire et il a contemplé tout ce gâchis.

Il n'avait toujours pas bougé quand l'agent de police municipal est arrivé.

– Ce n'est pas un cambriolage, c'est du vanda-
lisme, il a dit.

Il a écrit un numéro sur un bout de papier.

– Tenez, vous donnerez ça à votre compagnie d'assurance en faisant votre déclaration. Mais bien sûr,
ils ne vous dédommageront pas à cent pour cent. Un
Noël gâché, ça ne se remplace pas. Et vous n'aurez
sûrement pas votre chèque avant le Noël prochain.

Papa a continué à regarder dans le vague.

Dorothy avait fait du thé.

– Je ne savais vraiment pas quoi faire d'autre.

– Eh bien, vous auriez pu nous préparer un ou deux
toasts, a dit le policier.

– Ah oui. Désolée.

– Ils ont vraiment mis tout sens dessus dessous, pas
vrai ? Le plus bizarre, c'est qu'ils n'ont rien emporté.
Comme s'ils cherchaient quelque chose de précis.
Vous voyez une raison à ça ?

Papa est resté prostré sur sa chaise.

– Ceci dit, nous avons reçu un rapport au sujet
d'un sac bourré de livres sterling qui aurait été perdu
dans le coin. Ça pourrait expliquer cette recrudes-
cence de cambriolages. Remarquez, je ne vois pas ce
qu'ils pourraient en faire à l'heure actuelle. Nous
avons demandé à toutes les banques de nous signaler
les dépôts importants. Et dans deux jours, ces billets
ne vaudront plus un sou.

Après ça il est parti. Papa ne lui a même pas dit au
revoir, ne s'est même pas levé. Il est juste resté là, à

fixer le sapin. Et maintenant que j'y pense, Anthony aussi. C'est Dorothy qui a raccompagné l'agent de police à la porte. À son retour, elle a dit :

— Un jour, j'ai fait la quête pour une grande campagne contre la misère, à moins que ce soit pour l'UNICEF, je ne sais plus trop. Bref, les types du Bureau national de Birmingham avaient demandé à Nelson Mandela de venir faire un discours. Et Mandela a fait tout le boulot à ma place ! Je ne savais plus où donner de la tête tellement les chèques pleuvaient. Vous savez ce qu'il leur a dit ? « La seule richesse, c'est la vie. » Pas mal trouvé, non ? Il a continué en disant que l'argent pouvait être une véritable prison, comme le fait de ne pas en avoir, d'ailleurs. « La seule richesse, c'est la vie. Et vous êtes loin d'en manquer. Vous avez des gens sur qui compter, vous avez votre place dans la société, vous avez la santé. C'est ça, la vie. Tout le reste est décevant. Comme la mer Rouge. »

J'ai regardé Dorothy. Anthony aussi. La mer Rouge ?

— Ben oui, a-t-elle repris en haussant les épaules. En réalité elle n'est pas rouge du tout !

J'ai grogné. Anthony aussi. Papa a redressé la tête. Elle s'est mordu les lèvres. Il a commencé à rire et il a continué jusqu'à ce que je m'y mette aussi. Et j'ai continué jusqu'à ce que Dorothy enchaîne et finalement Anthony aussi.

Ensuite, papa s'est levé et il est sorti pour aller

jusqu'à la voiture. Anthony lui a couru après en disant :

– Papa, non, s'il te plaît, non !

Mais c'était clair qu'il allait le faire. Il est revenu à grands pas avec les sacoches de l'âne et les a jetées sur la table.

– Qu'est-ce que c'est ?

Papa les a empoignées et il les a secouées si fort qu'il s'est mis à pleuvoir des billets par paquets. Dorothy a poussé un cri. Anthony a grogné, et puis il a filé au lit.

– Où est-ce que… c'est à vous ?

– Voilà ce qu'ils cherchaient, a dit papa.

Dorothy a effleuré le sac du bout des doigts, comme si elle avait peur qu'il lui explose à la figure.

– Vous savez, quand Mandela disait que la seule richesse c'était la vie… Eh bien, pour moi, la vie c'est ça !

Papa a ri, mais ce n'était pas un rire très gai.

– Ils nous ont privés de notre Noël, on les prive de leur fric.

Et pour la première fois, j'ai compris qu'il allait le garder.

– Mais tu ne peux pas, ce serait du vol !

– En admettant qu'on vole quelque chose, il faut bien que ce soit à quelqu'un. Qui est-ce que je vole, dans cette affaire ?

– Le gouvernement.

– C'est une histoire entre vous trois, évidemment,

a dit Dorothy. Mais est-ce que vous savez, juste en passant, que le gouvernement avait l'intention de brûler cet argent ?

Papa a sauté sur l'occasion.

– Le brûler, ouais ! Avec la misère qu'il y a dans le monde ! Ils n'auraient pas pu le donner aux pauvres, non ? Ce serait quand même mieux.

Anthony m'avait déjà expliqué le problème.

– Tu comprends, c'est à cause de la masse monétaire. Vu comment ça fonctionne…

– O.K. Je connais très bien le système, merci. C'est justement là où je voulais en venir.

– C'est-à-dire ?

– On embarque tout ça en ville demain, on le change en euros et on le dépense.

Tout à coup, on a entendu la sonnette de la porte d'entrée. Papa et Dorothy se sont regardés d'un air affolé et ils ont commencé à enfourner l'argent dans les sacoches.

Je suis allé dans l'entrée.

– Attends deux secondes ! a soufflé papa tout en continuant à piocher à pleines mains dans le tas de billets. C'est bon, vas-y.

Juste avant d'ouvrir la porte, je l'ai entendu qui essayait de caser le sac dans le placard sous l'évier.

C'était Terry IT.

– Ton père est là ?

Je l'ai conduit au salon.

– J'ai entendu dire qu'on vous avait cambriolés…

200

En tant que membre de la brigade de surveillance, je tiens à vous assurer de tout notre soutien.

– Vous êtes gentil mais vous arrivez un peu tard, Terry, a dit papa.

– Nous pouvons alerter l'Assistance aux victimes, vous aider à remplir les formulaires d'assurance, tout ça. Et si toutefois vous aviez besoin d'une aide financière à court terme…

Dorothy a failli s'étrangler de rire.

– Une tasse de thé ? elle a dit.

– Non, merci. Ils ont vraiment massacré votre sapin. Et dans quel but ? Par pure jalousie, voilà tout. Vous avez récolté les fruits d'un dur labeur, mais ces gens-là ne peuvent pas le supporter. Eux, quand ils ont envie d'un truc, ils se servent. Parce qu'ils n'ont pas assez de cran pour gagner leur vie à la sueur de leur front. Voilà la raison, si vous voulez mon avis.

– Parfaitement d'accord avec vous, a dit papa.

Il avait les mains derrière le dos.

– Tiens, ça leur a échappé, a dit Terry.

Il s'est penché pour ramasser deux billets de vingt livres, pas loin des pieds de papa. Il les lui a tendus. Papa a hésité.

– Vous êtes sûr que ce n'est pas à vous ?

– Eh bien… ils étaient sur votre moquette, a déclaré Terry, un tantinet étonné.

J'ai réalisé que papa avait encore des billets plein les mains. Ce qui fait qu'il ne pouvait pas en sortir une pour prendre ceux que Terry voulait lui donner.

– Hmmm… a fait papa. Remettez-les par terre… à cause des empreintes digitales.

Comme vous voyez, Anthony a de qui tenir.

– Bon sang, je n'y avais pas pensé ! s'est exclamé Terry.

Et il a lâché les billets comme s'ils lui brûlaient les doigts. Ils ont rejoint la moquette en tourbillonnant.

– J'aime bien votre cravate, a dit Dorothy.

– Ouais, moi aussi, a enchaîné papa avec un peu trop d'empressement.

Il s'est laissé tomber dans le gros fauteuil, toujours les mains dans le dos. Je l'ai vu qui essayait de fourrer les billets derrière le coussin.

C'est à ce moment-là que j'ai décidé d'aller au lit. Quand j'ai vu que papa avait la frousse devant Terry IT. À cause de cet argent.

En entrant dans ma chambre, j'ai sursauté en voyant quelqu'un assis sur mon lit. C'était Anthony. Il a levé la main.

– Chut, j'écoute.

J'ai écouté, moi aussi. On a entendu la cravate de Terry jouer l'air de *Scooby Doo*, et puis Terry dire au revoir et la porte d'entrée se refermer derrière lui. Après ça…

– Chut ! a soufflé Anthony. Là. Qu'est-ce que tu entends ?

– Compter.

Ils étaient en train de compter l'argent.

— Sûrement une idée à elle. Non mais tu te rends compte ? Elle est vraiment gonflée. Carrément diabolique.

— Pourquoi tu dis ça ?

— Parce que ça crève les yeux ! On rentre chez nous, on trouve tout sens dessus dessous… et elle sur le pas de la porte. Drôle de coïncidence, non ?

— Tu crois que c'est elle qui nous a cambriolés ?

— Elle cherchait le fric. Je suppose qu'elle n'avait pas encore compris que papa était le dernier des gogos. Elle a dû être drôlement étonnée et vachement contente quand il lui a tout dit.

On a entendu papa éclater de rire. Un grand rire franc et joyeux, comme si on le chatouillait.

— Moi je te le dis : dès qu'il aura le dos tourné, elle en profitera pour se tirer avec le magot.

Là-dessus, Anthony est retourné dans sa chambre.

Je suis resté sur mon lit à écouter ce qui se passait en bas : ça parlait, ça comptait, ça rigolait, ça recomptait. Au bout d'un moment, j'ai réalisé qu'on n'entendait plus rien. Je me suis demandé combien de temps ça allait durer. Quand j'ai tourné la tête, j'ai aperçu papa dans l'encadrement de la porte. Il me regardait.

— Qu'est-ce qu'il y a ?

— Tu ne dors pas ? Tu veux que je te raconte une histoire ?

— Papa… cet argent…

— Je le mérite.

– Quoi ?

– Chaque minute que Dieu m'accorde, je la passe à travailler pour rembourser les traites de la maison afin de vous offrir un toit convenable. Je suis couvert de dettes. Au bout du rouleau. Et voilà qu'on me bousille tout ce que j'ai gagné à la sueur de mon front. J'en ai assez. L'heure est venue. À mon tour d'encaisser les bénéfices. Dès demain matin, on embarque tout ça en ville, on le change en euros et on le dépense. Et maintenant, bonne nuit.

Après son départ, je suis sorti de mon lit pour essayer de dormir par terre mais j'ai vaguement entendu bouger au-dessus de moi, de l'autre côté du plafond. Il y avait quelqu'un sur le toit – ou sous le toit.

Je suis allé sur le palier et je suis resté devant la porte de papa. Je n'osais pas le réveiller, au cas où j'aurais été le seul à pouvoir entendre celui qui était au-dessus. Le bruit a recommencé. Cette fois, juste au-dessus de ma tête. Quelque chose m'a frôlé les cheveux. J'ai regardé en l'air. Rien. Sauf la trappe du grenier. Et puis une fine poussière est tombée en pluie. J'en ai eu plein les yeux. La trappe s'est mise à bouger. Tout à coup, elle a disparu et il n'est resté qu'un grand trou noir au-dessus de moi. De l'air froid m'est tombé dessus. Ensuite, une espèce de gros caillot noir a dégouliné par la trappe et deux longs glaviots se sont mis à pendouiller au-dessus de ma tête. Ils avaient l'air d'être rattachés à la grosse masse de pure noirceur, tout là-haut. Et puis ils sont tombés par terre. C'est seulement à ce moment-là que j'ai compris que c'était des jambes avec un corps et un visage qui me regardait bien en face. L'homme à l'œil de verre venait de sauter du grenier et il était là, accroupi devant moi. Il a mis un doigt sur sa bouche. Je n'ai pas crié. J'ai senti que ce n'était pas le genre de chose à faire.

– Avance par là, il a murmuré en désignant ma chambre.

Il ouvrait à peine la bouche en parlant. J'avais l'impression de l'entendre dans ma tête et d'être directement branché sur la peur.

Je suis retourné dans ma chambre et je me suis assis sur mon lit. Il est entré, a fermé la porte et a regardé autour de lui.

– Je sais que c'est toi qui l'as. Ce fric est à moi. Vous allez le changer à la banque demain et c'est très bien. Ça m'évitera de faire le boulot moi-même. Tu piges ?

J'ai fait signe que oui. J'ai voulu le regarder droit dans l'œil pour lui prouver que je disais la vérité, mais j'ai réalisé qu'en fait, j'étais peut-être en train de fixer son œil de verre, alors j'ai bifurqué sur l'autre. Il a pris le téléphone portable sur ma table de nuit et il a commencé à pianoter dessus pour chercher le numéro. J'ai essayé d'engager la conversation :

– Alors c'est vous qui nous avez cambriolés ?

– Hein ? On ne vous a rien pris, pas vrai ? Je veux

récupérer ce qui m'appartient, un point c'est tout. Et comme je ne l'ai pas trouvé, j'ai décidé de t'attendre.

Donc ce cambriolage n'en était pas un, comme le coup de l'attaque du train. Dans les deux cas, c'était juste un moyen pour cacher quelqu'un. Œil-de-verre s'est encore accroupi face à moi et m'a soufflé à la figure :

– Voilà ce que tu vas faire pour moi. Demain soir, quand le boulot sera fait et que tout le monde sera couché, je t'appellerai sur ce portable. Tu descendras l'escalier, tu ouvriras la porte et tu me laisseras entrer. Ensuite je prendrai l'argent et je m'en irai. Tout ça sans un mot. O.K. ? Et tu n'auras plus jamais de souci à te faire pour ça.

Logiquement parlant, Œil-de-verre et moi, on avait un point commun : on était les seuls à savoir que l'argent était un problème. Quand il m'a dit ça, j'ai compris qu'il connaissait mieux le sujet que n'importe qui, y compris papa ou Anthony.

– Surtout n'éteins pas ton portable, il a ajouté.

Et puis il est parti.

Par précaution, je suis resté un petit bout de temps assis sur mon lit. Mais je n'avais plus envie de rester dans ma chambre. Comme je ne voulais pas repasser sous la trappe, ça éliminait la chambre de papa. Alors je suis descendu à la cuisine. Les sacoches de l'âne étaient étalées sur la table, à côté d'une bouteille de vin pratiquement vide, deux verres et une assiette pleine de miettes. Papa et Dorothy avaient dû se faire des toasts pendant qu'ils comptaient. J'ai pose la tête sur les sacoches et j'ai écouté le ronflement du chauffage central. C'était agréable.

J'ai dû m'endormir, parce que je ne l'ai pas entendue entrer. J'ai juste senti qu'on tirait sur les sacoches. En me redressant, j'ai aperçu Dorothy.

– Salut, j'ai dit.

Elle a mis un doigt devant sa bouche et elle a fait « Sssshhhh ! ».

Et puis elle a mis les sacoches sur son épaule, elle a ouvert la porte de derrière et elle a filé discrètement.

Je n'ai rien dit. Pas fait un geste jusqu'à ce que la porte se referme avec un petit déclic. Ensuite, j'ai couru vers la fenêtre de devant et j'ai glissé ma tête entre les rideaux pour regarder dehors. Dorothy était en train de mettre l'argent sur le siège arrière d'une voiture. Comme la voiture était éclairée de l'intérieur, je la voyais très nettement derrière la vitre. Elle a mis la clé de contact. Elle a tourné la tête vers la maison. Quand le moteur s'est mis en route, l'intérieur de la voiture s'est éteint mais Dorothy me regardait encore. Elle m'a fait coucou avec son petit doigt, comme elle seule sait le faire. Après ça, le clignotant s'est mis à palpiter et elle a démarré. Sa voiture, c'était une Vauxhall Nova jaune Smartie. En espagnol *no va*, ça veut dire « ça ne va pas » ou « ça n'avance pas ». Mais celle-ci a avancé sans problème. Sûrement une erreur de traduction.

17

Saint Christophe (pas de dates, probablement légendaire) est soi-disant le patron des automobilistes. On raconte que c'était un grand costaud qui travaillait comme videur pour le compte du roi de je ne sais plus quel pays. Mais un jour, il a découvert que ce roi avait peur de la mort, alors il s'est dit : « Pas question de bosser pour un sous-fifre, je préfère me mettre au service du meilleur. » Et il est parti travailler pour la mort – je ne sais pas trop en quoi consistait son travail… on a du mal à croire que la mort puisse avoir besoin d'un coup de main. Quoi qu'il en soit, il s'est trouvé que la mort elle-même avait peur de quelque chose – à savoir l'Enfant Jésus. Du coup, Christophe… bref, vous voyez où tout ça nous entraîne. En fait, cette histoire est purement et totalement fictive. Autrement dit, c'est n'importe quoi. Il n'y a jamais eu de saint Christophe. Il a d'ailleurs été rayé du calendrier des saints en même temps que saint Pyr qu'on avait retrouvé ivre mort au fond d'un puits et qui avait été canonisé à la suite d'une erreur cléricale.

Donc, les automobilistes sont comme les menteurs et les agents immobiliers. Ils n'ont pas de saint patron. Quand Dorothy est partie au volant de sa voiture avec notre argent, il n'y avait personne pour veiller sur elle. Et on en revient toujours à la même chose : dès qu'il y a de l'argent, les gens s'occupent de lui mais il n'y a personne pour s'occuper d'eux.

J'étais encore derrière les rideaux quand papa est descendu. Je surveillais la route, au cas où elle reviendrait. Je les ai entendus paniquer, Anthony et lui.

— L'argent a disparu et elle aussi ! Sa voiture n'est plus là.

— Damian non plus, a dit Anthony.

— Si, je suis là ! j'ai crié. Derrière les rideaux.

Papa a tiré le rideau d'un coup sec.

— Où est Dorothy ? il m'a demandé.

— Je n'en sais rien. Elle est entrée, elle a pris l'argent et elle est partie. Je ne sais même pas comment elle a fait pour entrer.

— Et tu l'as vue prendre l'argent ? Tout l'argent ?

Anthony a secoué les épaules.

— Je vous l'avais dit. Je t'avais prévenu.

— Bon. Restons calmes. Damian, essaie de te rappeler. Qu'est-ce qu'elle t'a dit exactement ?

— Elle m'a dit : « Chuuuuut. »

— Et toi ?

– Ben, je me suis tu !

Papa a grogné et s'est jeté dans le gros fauteuil. Et puis il s'est redressé d'un bond, comme s'il se souvenait d'un truc, tout à coup. Il a farfouillé derrière le coussin et il en a sorti des tas de billets de vingt. Ceux qu'il avait cachés la nuit dernière. Il a eu l'air à la fois surpris et déçu qu'il n'y en ait pas plus.

– Cent vingt. Cent vingt livres sur… combien déjà ?

– Deux cent vingt-neuf mille, trois…

– O.K. Merci, Anthony. Maintenant tais-toi.

– Je te l'avais dit.

– Entendu, tu me l'avais dit. Et non seulement tu me l'avais dit, mais tu as déjà dit que tu me l'avais dit, alors inutile de me le redire, ça commence à bien faire, d'accord ?

Papa a baissé la voix et il a continué se parler à lui-même plutôt qu'à nous :

– Réfléchissons, qu'il disait. Réfléchissons…

Tout à coup, il a grimpé l'escalier quatre à quatre et est redescendu avec son portable. Il a retrouvé le numéro de Dorothy d'après les appels reçus, il a poussé un petit cri de joie et il a composé le numéro.

Anthony a débité d'une voix de robot :

– Le portable que vous cherchez à joindre est actuellement débranché…

Tant mieux.

Papa lui a lancé un œil noir.

– Son association ! Celle pour laquelle elle travaille en ce moment, elle s'appelle comment ?

– Water Aid.

Il a appelé les Renseignements pour avoir leur numéro.

– Vous deux, vous m'attendez là, il a dit en nous montrant le salon.

Et puis il a continué à parler au téléphone.

– Oh, je vois. Les collectes sont faites en franchise.

Water Aid n'avait jamais entendu parler de Dorothy.

– Et quel est le nom de la franchise ? Merci beaucoup.

Il a tapé un autre numéro, puis il a levé la tête vers nous.

– J'y suis presque. Ils m'ont mis en attente.

Il s'est assis au pied de l'escalier. De loin, on entendait un tout petit orchestre qui jouait dans l'appareil. Il est resté assis à l'écouter sans rien dire, le portable collé à l'oreille. De l'autre main, il a essayé de joindre Dorothy sur le poste fixe.

– Elle saura que c'est toi qui appelles, a dit Anthony. Et, si elle sait que c'est toi, elle ne répondra pas. Si tu fais le cent quarante et un avant de composer son numéro, le tien n'apparaîtra pas et, du coup, elle ne saura pas que c'est toi.

– Où est-ce que tu as appris ça, toi ? À quoi est-ce que ça peut te servir, hein ?

– T'as qu'à essayer, tu verras bien. Si elle ne sait pas que c'est toi…

– Anthony, je crois t'avoir déjà demandé de te

taire, O.K. ? Ramasse la guirlande électrique et range-la dans la boîte.

– On ne va pas refaire le sapin ?

– Non. Allez, active-toi.

Anthony s'est mis à démêler la guirlande au milieu de notre sapin en ruine. Papa a posé son portable et il a dit :

– Il faut faire quel numéro, déjà ?

– Cent quarante et un.

Il a tapé l'indicatif et ensuite le numéro de Dorothy. Une première fois. Une deuxième fois. Une treizième fois. Après ça, il est allé s'asseoir dans le gros fauteuil et il a tâtonné derrière le coussin, au cas où. Mais non. Rien. Tous les trois, on est resté assis sans rien faire. Juste à écouter la pendule qui grignotait les dernières heures que la livre avait à vivre.

J'ai réussi à convaincre Anthony de faire une partie de cartes Magic. Comme on n'osait pas monter chercher ses cartes avec les monstres, on a essayé de jouer avec mes cartes à moi. Celles sur les saints. Au lieu de marquer des points en fonction du poids et de la férocité des monstres, on a utilisé les dates des saints et le jour de leur fête. C'était nul. J'ai gagné au bout de trente secondes parce que je les connaissais toutes par cœur. Anthony ne sait même pas le jour de sa propre fête.

La télé était éteinte mais je l'ai regardée quand même. Et aussi le décodeur et les fils reliés à l'antenne du toit, qui se faisait bombarder par les signaux qu'envoient les émetteurs et les pylônes plantés tout seuls au sommet des collines et qui eux-mêmes se font mitrailler par d'autres signaux venant des satellites qui se promènent dans l'espace et qui captent les signaux venant de la Terre pour ensuite les renvoyer sur terre par ricochet – signaux de radio, de télévision et de téléphone, signaux pour les bateaux et les voitures, etc. Ce qui fait que l'air qui nous entoure doit être comme une gigantesque toile d'araignée, avec tous ces rayons, toutes ces ondes, toutes ces radiations, tous ces messages qui s'entre-croisent.

J'avais toujours en main ma carte sur sainte Claire. Je me suis mis à penser à toutes les visions d'elle-même qu'elle avait réussi à envoyer à travers les airs, quand elle vivait dans son ermitage. À l'époque, il n'y avait pas de télé, pas de téléphone. Donc pas grand-chose pour perturber l'air, à part les oiseaux et les apparitions de sainte Claire. Je me suis demandé si ça pouvait encore se faire.

Mon visage se reflétait sur l'écran noir de la télé. Je l'ai imaginé en train de se faire aspirer par le câble et puis de se faufiler dans les fils avant d'être recraché sur l'antenne. De là, je l'ai vu se propulser dans les airs et traverser l'embrouillamini des conversations téléphoniques et des émissions de radio avant de dériver dans l'espace. J'ai essayé d'imaginer les troupeaux de satellites errants, tout là-haut, et sainte Claire qui leur servait de bergère, en sa qualité de patronne de l'audiovisuel. Les satellites ressemblaient un peu à de gros ostensoirs volants. Je me suis vu en train de me cogner dans l'un d'eux et rebondir pour foncer en direction de la Terre, de plus en plus vite, comme une comète pénétrant dans la troposphère. Et puis j'ai traversé le jet-stream en sifflant, j'ai transpercé la couche de nuages et là, juste en dessous de moi, j'ai aperçu un fouillis de fils électriques et de circuits avec un truc brillant en plein milieu. Les fils et les circuits, c'était une ville. Le truc brillant, c'était la verrière de la gare. Je l'ai traversée comme un rayon de lumière et je suis resté sur le quai pendant qu'autour de moi les gens couraient dans tous les sens pour attraper leur train. Certains s'embrassaient pour se dire au revoir. Il y en avait d'autres qui regardaient leur montre ou qui avançaient en faisant attention de ne pas renverser leur gobelet de café.

Dorothy est passée devant moi et elle est montée dans un wagon. À travers la vitre, je l'ai vue s'installer, tout en bavardant avec une dame. J'ai reculé de peur qu'elle m'aperçoive, je ne sais pas trop pourquoi. Elle a ramassé un gros sac et elle a essayé de le hisser sur le porte-bagages. Apparemment c'était très lourd – sans doute à cause de l'argent. Elle a dû mal s'y prendre, car le sac a dégringolé et il a atterri sur la tablette avec un bruit mou. Elle s'est excusée auprès de la dame avec un petit sourire et elle a jeté un coup d'œil par la fenêtre. Et c'est là qu'elle m'a vu. Aucun doute là-dessus. Ça a été comme un coup de poing.

Je me croyais invisible. Je me croyais en plein rêve. Mais elle m'a vraiment vu. J'avais beau être chez moi, dans ma maison, j'avais réussi à lui envoyer une vision de moi.

Tout à coup, j'ai revu le salon, papa et Anthony. Ils étaient entre moi et elle, comme quand on regarde par une fenêtre la nuit et qu'on voit à la fois ce qu'il y a devant, ce qu'il y a derrière la vitre et ce qu'il y a derrière soi, dans la vitre. Papa, Anthony et moi on était dans la vitre. De l'autre côté, il y avait le train et Dorothy qui me regardait. J'ai entendu un coup de sifflet. Il y a eu un peu d'agitation. Je l'ai vue froncer les sourcils, comme pour se demander ce que je faisais là. Le moteur de la locomotive s'est mis à rugir. J'ai fait un pas en arrière et je me suis retrouvé dans le salon, où tout le monde se taisait.

Papa m'a jeté un coup d'œil, comme si je venais d'entrer dans la pièce alors que je n'en avais pas bougé. Toujours sans rien dire, il a regardé par la fenêtre. Il a froncé les sourcils. S'est penché en avant, a encore froncé les sourcils. Et puis il s'est levé. J'ai regardé dans la même direction. Dorothy remontait l'allée à grands pas en faisant coucou à travers la fenêtre. Papa a tiré sur la porte comme s'il débouchait une bouteille de champagne. Dehors, il y avait un énorme monospace rouge – une Toyota Previa.

– Tu croyais que je m'étais sauvée en vous laissant tomber ?

— Non, a dit papa.

— Oui, a dit Anthony.

— Ça n'engage que lui, a dit papa.

— Tu comprends, j'étais trop impatiente. Et je suis du genre consciencieuse.

— Impatiente et consciencieuse, exactement ce que je disais ! s'est exclamé papa en rebondissant sur ses semelles.

— Je me suis attelée au travail. J'ai commencé par acheter cette voiture et je l'ai payée en liquide – c'est toujours ça d'écoulé, tu comprends. On la paie en livres aujourd'hui et on la revend la semaine prochaine en euros. On perdra de l'argent mais pas des masses. Ces engins-là ont la cote. Oh, et je suis aussi allée changer deux mille livres à la banque. Ce qui fait qu'il nous reste cent cinquante mille livres et une demi-journée pour les changer. Tu crois que c'est possible ?

— Évidemment que c'est possible ! a hurlé papa.

Dix minutes plus tard, on était à l'arrière de la Previa, direction Manchester parce qu'il y a beaucoup plus de banques là-bas. Soit dit en passant, Previa ne veut rien dire du tout. Quand ils se sont rendu compte qu'une voiture appelée Nova était invendable en Espagne, ils ont engagé des gens pour trouver des noms de voiture qui n'aient aucun sens, quel que soit le pays. Comme ça, ils étaient sûrs de ne pas tomber sur un nom qui signifie « inconfortable » en serbo-croate ou « dangereuse » en gaélique. Imaginez un peu : il y a des personnes qui s'asseyent autour d'une table pour réfléchir à des noms qui ne veulent strictement rien dire du tout. Previa fait partie de ces noms-là, comme Mégane ou… Bref, il y en a des tas. Quand on pense à tous ces gens qui se lancent sur l'autoroute sans la protection d'un saint patron, et au volant d'une voiture avec un nom insensé, lexicalement parlant, il y a de quoi s'inquiéter.

Anthony a dit :

— S'il y a trop de monde dans les banques, on pourra toujours tenter les bureaux de change. Après tout, on n'a pas besoin d'euros, on peut prendre des dollars. D'ailleurs ce serait sûrement mieux. À cause de notre entrée dans l'euro, il va y avoir une demande terrible et sa valeur grimpera. Si on achète des dollars et qu'on attend que les choses se calment un peu, on en sortira gagnant. Qu'est-ce que vous en pensez ?

— Je pense qu'on a dû se tromper de bébé en revenant de la maternité. De qui tiens-tu, Anthony ?

Une fois à Manchester, Dorothy a suggéré qu'on se sépare.

— Au cas où il faudra faire la queue.

Elle a décidé de me prendre avec elle pour qu'on s'occupe de toutes les banques situées au nord de Deansgate. Pendant ce temps-là, papa et Anthony assureraient côté sud.

Deansgate était très calme quand on est passé à toute allure devant le sapin de Noël géant. C'était calme parce que tout le monde était déjà dans les banques. Pousser la porte d'une banque, c'était comme tenter de battre le record du monde du maximum de personnes dans un minimum d'espace. De très loin, on a entendu une voix de robot qui disait : « Le guichet n° 3 est libre. Veuillez vous rendre au guichet n° 3. » Parfois c'était : « Pour les opérations de change de faible importance, veuillez utiliser la machine automatique située à gauche de l'entrée. » Mais personne n'y allait.

Dorothy était nerveuse. Elle a essayé de me faire passer dans la file d'à côté, au cas où ça avancerait plus vite mais, quand j'ai voulu me glisser sous la corde, je me suis fait repousser par un homme en duffel-coat.

Dorothy a farfouillé dans son sac. Pendant que je faisais le guet, elle a sorti plusieurs paquets de billets qu'elle a mis dans sa poche. Quand j'ai baissé les yeux pour voir si elle avait fini, j'ai aperçu billet de train au fond de son sac. Elle s'est retournée pour me sourire mais je me suis dépêché de regarder ailleurs.

Finalement, on est arrivé devant le guichet. Derrière la vitre, la caissière avait le visage rouge et ruisselant de sueur, comme en plein été. Elle a continué à parler à son collègue d'à côté. On n'entendait pas ce qu'ils se disaient à cause de la vitre. Dorothy a glissé les billets en vrac sous le guichet. La femme les a pris et les a tapotés pour les mettre bien en ordre en disant :

— Il y a combien, s'il vous plaît ?

— Cinq mille.

– Ça fait beaucoup. Êtes-vous titulaire d'un compte chez nous ?

– Non. Je devais acheter une voiture aujourd'hui mais elle n'est pas prête. Quand je pense que j'économise depuis des mois pour me l'acheter. Mais puisqu'elle n'est pas disponible, il faut absolument que je change ça sinon…

– Oui mais c'est une somme particulièrement importante.

– C'est bien pour ça que je ne veux pas la perdre, ma chère.

La femme a regardé autour d'elle, sans doute pour appeler un supérieur.

– Pour une voiture, je vous assure que ce n'est pas une somme délirante, a repris Dorothy.

Le supérieur était occupé. Le visage de la femme est devenu encore un peu plus rouge. J'ai commencé à me tortiller sur place. J'ai tiré Dorothy par la manche. Elle m'a demandé d'un ton brusque :

– Quoi ? Qu'est-ce qu'il y a ?

– J'ai envie de faire pipi.

– Oh super ! Ça fait plus d'une demi-heure qu'on fait la queue, et quand notre tour arrive enfin, tu m'annonces que tu as envie de faire pipi !

– C'est pas de ma faute.

La femme au visage rouge nous tournait le dos. Elle faisait signe à son chef. Dorothy a frappé contre la vitre et m'a montré du doigt. Je me suis mis à monter et descendre sur mes talons, comme un yo-yo.

– Vous avez des toilettes ?

– Non, désolée.

– Mais enfin ! Il doit bien y avoir quelque chose de prévu. Comment vous faites, vous ?

– J'utilise les toilettes réservées aux employés. Mais c'est de ce côté-ci et l'accès est interdit au public. Zone protégée, vous comprenez. Par contre, vous pouvez aller chez *Marks & Spencer*, juste au coin de la rue. Là, ils ont des toilettes.

– Si je comprends bien, il faudrait que je ressorte pour aller jusqu'à chez *Marks & Spencer* et que je revienne faire la queue avec mes malheureuses économies, en espérant que j'arriverai à passer avant la fermeture de la banque, c'est ça ? Écoutez, j'ai absolument besoin d'une voiture pour mon travail. Si je ne peux pas changer cette somme aujourd'hui, je suis fichue. Je ne pourrai jamais…

– D'accord. D'accord.

Elle a fait passer les billets dans une machine à compter et elle a donné sept mille quarante-deux euros à Dorothy dans une longue enveloppe marron.

Dorothy était à bout de nerfs. Elle m'a pratiquement traîné dehors en disant :

– Bon, il est où, ce *Marks & Spencer* de malheur ?

– C'est pas la peine, j'ai dit. J'ai pas vraiment envie.

Elle a mis un moment à comprendre.

– C'était juste pour lui mettre la pression, tu vois ?

– Waouh ! Tu es un sacré petit malin, toi !

J'ai pris ça comme un compliment.

– Tu joues vachement bien la comédie, tu sais ?

J'ai encore pris ça pour un compliment.

– Petite canaille, va !

Cette fois, j'ai moyennement apprécié.

On a filé à la Barclays. Là encore, ça a marché. Et aussi à Halifax, HSBC, la Royal Bank of Scotland et la Lloyds. Le seul endroit où ça n'a pas marché, c'est au Crédit Coopératif, parce qu'ils avaient des toilettes pour les clients.

À quatre heures de l'après-midi, on avait réussi à changer soixante-deux mille livres. Les banques commençaient à fermer.

– Il doit bien y avoir d'autres endroits, non ?

– Il y a une banque chez Kendal.

J'ai tout de suite regretté d'avoir dit ça. Elle m'a pris par la main et m'a ramené au pas de course vers Deansgate. On s'est engouffré dans le grand magasin par l'entrée principale. Autrement dit, on est tombé directement sur le rayon maquillage où maman travaillait avant. La dernière fois que j'étais venu là… Bah, aucune importance. La seule chose qui compte, c'est qu'elle travaillait sur le stand Clinique. Juste à côté des ascenseurs. J'aimais bien quand on allait la chercher. On la voyait toujours avant qu'elle nous aperçoive. On la regardait discuter avec une cliente ou avec une autre femme derrière le stand, ou bien en train de faire du rangement, et elle ne savait pas qu'on l'observait. Elle portait une blouse blanche avec un badge noir. Toutes les femmes qui travaillaient là avaient la même peau qu'elle : plus éclatante et plus lisse que n'importe qui. Elles étaient toutes impeccables. Immaculées. Il y avait toujours de la belle musique qui passait. Comme maintenant. Et toutes ces femmes impeccables étaient encore là. Sauf elle.

Une des immaculées – celle du stand Chanel – m'a regardé avec l'air de vouloir dire quelque chose. C'était mauvais signe. Finalement, elle a fait celle qui ne se rappelait plus quoi, ce qui était pire.

J'ai décidé de m'en aller de là le plus vite possible. Je me suis retourné en disant que la banque était au-dessus, mais je me suis trouvé nez à nez avec mon reflet dans une grande glace. Aucune trace de Dorothy. J'ai regardé autour de moi. La femme de chez Chanel me fixait toujours. C'est seulement là que j'ai vu que son teint n'était pas aussi parfait que ça. Elle s'était mis une sorte de pâte sur le visage pour avoir la peau lisse, mais elle avait oublié un petit coin autour de l'oreille. Ça faisait bête. Je me suis demandé si c'était déjà arrivé à maman. J'ai regardé derrière moi. Pas de Dorothy. Rien qu'une silhouette de femme en carton, mince, grande, bronzée, luisante, en bikini. Médicalement parlant, je commençais à avoir du mal à respirer.

Quelqu'un m'a touché l'épaule et je me suis retourné brusquement. Dorothy. Je me suis forcé à avaler pour m'empêcher de pleurer. Elle a jeté un coup d'œil autour de nous et elle m'a dit :

– Comment sais-tu qu'il y a une banque ici ?

Je n'arrivais pas à reprendre mon souffle.

– C'est là que ta maman travaillait ?

Elle n'a pas attendu la réponse. Elle a simplement dit :

– Bon, fini de faire la queue pour aujourd'hui. Si on faisait un peu de shopping ?

Les biens matériels, ça ne m'intéressait pas vraiment mais je n'ai rien voulu dire, de peur de paraître mal élevé. On a pris l'escalator. Pendant qu'on montait, elle a farfouillé dans son sac. Arrivée en haut, elle a jeté quelque chose dans la poubelle. J'ai vu que c'était son billet de train.

Dorothy ne m'a pas emmené aux jouets ni au rayon électroménager. Elle m'a emmené aux vêtements pour garçons. Elle a décroché un duffel-coat rouge vif et l'a présenté devant moi. On pouvait rabattre le capuchon sur sa tête, comme les moines franciscains. Elle a dit :

– Tu ressembles à l'ours Paddington !

Ce qui était une autre façon de voir les choses.

Dans la catégorie des biens matériels, je n'avais rien vu de mieux depuis des siècles.

C'était la seule chose qui me plaisait dans tout le magasin. Dorothy est allée payer à la caisse.

– Je parie que ça fait des siècles qu'il ne t'a pas acheté de manteau. Les pères n'achètent jamais de manteaux ni de couverts.

Elle s'est offert un sac.

En remontant King Street, on est passé devant

une galerie de jeux. Il y avait un panneau qui disait :
« ancienne monnaie acceptée ». C'était génial ! Je
n'étais jamais allé dans un endroit pareil. Il y a un jeu
où il faut laisser tomber des pièces sur une sorte de
plateau qui avance et qui recule. Le principe, c'est de
lâcher sa pièce pile au bon moment pour faire dégringoler toutes les autres. J'ai gagné deux fois !

— Exactement ce qu'il nous fallait, a dit Dorothy.
Encore un sac de vieilles pièces.

Heureusement, on pouvait les dépenser sur place.
On a acheté un splendide vase égyptien et une barbe
à papa toute faite, enveloppée dans un sac plastique.

On a retrouvé papa et Anthony près de la voiture.
Papa a demandé :

— Vous avez pu tout changer ?

— On s'est lassé avant la fin, hein, Damian ? Tu
veux de la barbe à papa ?

Papa a tiré sur la barbe et en a pris un gros bout.

— Et vous, combien ?

— Eh bien, a dit papa, nous avons eu une idée de
génie et nous sommes allés au crédit immobilier pour
régler les dernières traites de la maison.

— Formidable ! Ça a marché ?

— C'était fermé.

— Oh.

— Mais on a changé soixante-dix mille livres.

— Et nous soixante-deux mille seulement. Désolée.

— Eh bien il faudra nous contenter de ces cent
trente-deux mille.

– Et de la nouvelle Prévia.

– Et d'une Gamecube simulateur de vol. Et d'un écran plasma. Et d'un lave-vaisselle (une idée d'Anthony).

– Oh, alors dans ce cas…

La voiture était pleine comme un œuf. Ils étaient vraiment contents. Même Anthony. Pour moi, ça n'a duré qu'une minute. Jusqu'à ce que mon téléphone vibre. C'était un texto. Mais ça ne venait pas de lui. C'était Anthony qui me disait : « RV A LOTO », avec la photo de papa devant la nouvelle voiture. Il avait dû me l'envoyer quelques minutes plus tôt. En soi ce n'était pas important, mais ça m'a rappelé d'un coup tous mes soucis.

Les anges gardiens sont censés vous protéger, mais ils savent très bien à quel moment vous allez mourir. Ça doit les rendre tristes de vous voir en train de faire un petit foot ou de dîner ou n'importe quoi d'autre, tout en sachant pertinemment à quel moment ça s'arrêtera. C'est exactement ce que je ressentais ce soir-là. Tout le monde était joyeux. Ils avaient acheté des plats indiens à emporter et ils mangeaient autour de la table basse, à côté des sacs d'argent nouveau posés par terre, et ils discutaient de ce qu'ils allaient faire avec tout ça.

Papa était toujours branché sur les voyages. Il a énuméré des tas de noms lointains : Acapulco,

Barcelone, Bondi ; et Dorothy y est allée de sa petite liste : la Sardaigne, Capri et le Groenland (pour les aurores boréales).

Anthony restait fixé sur l'immobilier. Il avait lu une annonce concernant des granges aménagées en logements sur la péninsule de Lleyn.

– Tu pourrais en acheter une et la louer, ce qui générerait un revenu régulier tout en accroissant la valeur de ton capital.

– Elles ne doivent pas être bien grandes, tes granges, a dit papa.

– Pourquoi ?

– Il n'y a que des moutons sur la péninsule de Lleyn. Même pas de vaches. Il faudrait louer à des nains.

– Ou à des moutons.

Ils étaient tellement heureux qu'ils étaient prêts à rire pour n'importe quoi. Les moutons les ont amusés pendant environ cinq heures. J'ai essayé de me joindre à eux mais je pensais : « Encore une blague sur les moutons et ce sera fini pour de bon. » Il était huit heures.

Parfois, les choses démarrent comme une plaisanterie, mais personne ne veut s'arrêter alors on continue jusqu'à ce que ça devienne vrai. Je ne sais pas qui a eu l'idée, mais une demi-heure plus tard, papa s'est retrouvé en train de mélanger de la colle à papier peint dans un grand seau. Ils voulaient tapisser la chambre d'Anthony avec tous les vieux billets qui nous restaient.

Anthony a étalé des journaux sur sa moquette. Dorothy a installé la table à tréteaux sur le palier en chantant :

– *Money, money, money.*

Ensuite, papa et elle ont commencé à badigeonner de colle les vieux billets de dix et de vingt et Anthony les a alignés soigneusement sur le mur, comme des carreaux de salle de bains, en lissant avec une brosse pour que ça ne fasse pas de bosse. Petit à petit, les foot-balleurs du papier peint se sont recouverts de vieilles livres sterling.

La plus excitée, c'était Dorothy. Elle n'arrêtait pas de dire :

– Quand je pense à ce que je fais, c'est dingue !

Entre-temps, elle racontait des blagues.

– Un marquis avait fait planter six ifs dans son jardin. C'est là qu'il conduisait les jeunes filles qui lui plaisaient en leur disant : « Voici l'endroit décisif » ! Des six ifs, vous saisissez ?

Et sans attendre qu'on ait compris ou pas, elle enchaînait :

– Qu'est-ce qui est vert et qui se déplace sous l'eau ? Un chou marin ! Qu'est-ce qui est invisible et qui sent la carotte ? Un pet de lapin !

Tout à coup, il m'est arrivé un truc bizarre. Je me suis rendu compte que je riais moi aussi. Je ne pensais plus à Œil-de-verre. Je m'en fichais. Après tout, pourquoi s'en faire ? Papa avait une voiture neuve. Il avait passé une super journée. Il avait une nouvelle amie. Il riait. Mon père riait. Du coup, j'ai eu peur que Dorothy soit à court de blagues et que tout se termine. Alors je suis allé chercher *Le Grand Livre du rire* – un bouquin où il y a des milliers d'histoires drôles. Chaque fois qu'elle séchait, j'en lisais une à voix haute. Et dès que j'avais fini, ça lui en rappelait une autre. Et ça a continué. On rigolait comme des pingouins ayant respiré des gaz hilarants.

– Deux chèvres, Babi et Baba, sont dans un bateau. Baba tombe à l'eau. Que se passe-t-il ?

– Baba coule et Babi bêle !

En fait, c'était encore plus drôle quand on connaissait la chute et qu'on pouvait la crier tous ensemble.

– Quel est l'animal le plus utile dans le désert ?

– Le zébu. Parce que quand z'ai bu, z'ai plus soif !

Et pendant ce temps-là, le mur se couvrait de petites têtes, celle de la Reine, de Florence Nightingale, de Charles Dickens ou de je ne sais qui d'autre. Il y avait de la colle partout.

– Quelle différence y a-t-il entre Tintin et Milou ?

– Milou n'a pas de chien !

J'ai remarqué qu'Anthony n'avait pas réagi. Peut-être qu'il ne la connaissait pas. Dorothy a lancé :

– Un kangourou en visite à Londres entre dans un pub et commande une bière…

Elle était tellement concentrée sur la pose du papier peint qu'elle ne regardait personne. Quand Anthony s'est esquivé, elle ne l'a même pas remarqué.

– … Le serveur lui apporte sa boisson et l'addition, et il lui dit : « Excusez-moi, mais nous avons rarement l'occasion de voir des kangourous par ici ! »

Anthony serait sûrement allé dans sa chambre, si on n'avait pas tous été dedans pour la décorer.

– … Alors le kangourou répond : « À sept euros la bière, pas étonnant ! »

– Très drôle, a dit papa.

Mais ça ne l'a pas fait rire. Il était comme elle, trop absorbé dans la contemplation du papier peint. Ils auraient pu s'arrêter là mais ils étaient hypnotisés. Ce n'était plus une blague. C'était un boulot. Et il s'agissait d'aller jusqu'au bout. Pas question d'abandonner avant que la dernière livre sterling soit collée. J'ai vu dépasser la tête d'un footballeur, juste au-dessus du billet de vingt que j'étais en train de coller. Tout à coup, je me suis rappelé combien Anthony adorait ce papier peint. À mon tour, je suis sorti discrètement.

Anthony était dans ma chambre, assis sur un coin de mon lit, comme Œil-de-verre l'autre jour. Mais nettement plus furieux.

– Tout ça, c'est de ta faute, il a sifflé.

– Je sais.

– Non, tu ne sais pas ! Tu n'as rien compris.

Dans la pièce d'à côté, papa a éclaté de rire.

– Non mais tu l'entends ? Sûr qu'il rigolera moins quand elle le laissera tomber. Tu te rappelles comment il était quand maman est partie ?

— Peut-être qu'elle ne s'en ira pas ? Hier tu croyais qu'elle allait filer mais elle est revenue. Peut-être bien que…

— C'est vraiment ce que tu veux ? L'avoir ici à la place de maman ? Dans cette maison ? Avec ses blagues stupides et ses lasagnes sans maïs ! Tu veux vraiment qu'elle prenne la place de maman ?

Je n'avais pas pensé à ça.

— C'est à cause de toi. Toi et tes idées tordues. Balancer l'argent par les fenêtres, parler tout seul, avoir des hallucinations, tout ça ! Tu n'es pas normal. Tu n'arrêtes pas de poser des problèmes. Tu es un problème à toi tout seul, Damian.

— Ne dis pas ça.

— Où qu'elle soit, tu ne la retrouveras pas. Parce que tu es cinglé. Et les cinglés dans ton genre, il faut les enfermer !

18

À propos des anges, les choses ne sont pas très claires. Par exemple, quand on était au meilleur-endroit-qui-soit, les infirmières étaient soi-disant des anges. Au cimetière, on voit souvent des tombes où sont gravés les mots « Petit Ange » ou « Parti au royaume des Anges ». Mais les gens ne sont pas des anges. Et quand on meurt, on ne devient pas un ange. Les anges sont une espèce à part. D'abord ils n'ont pas de nombril. Normal, puisqu'ils ne sont pas nés comme tout le monde. Et puis, pour être un ange, il faut une ossature tout à fait différente, sans parler de l'ADN et de tout le reste. Donc personne ne se transforme en ange pour veiller sur vous. Jamais. Biologiquement parlant, c'est absolument impossible.

Par ailleurs, il y a plusieurs sortes d'anges : les chérubins, les séraphins, les dominations et les puissances. Certains sont ÉNORMES. Vous vous imaginez avec un ange gardien de six mètres de haut ? Quand on y pense, c'est assez embarrassant d'avoir besoin d'une telle envergure et de tant de puissance céleste pour se sentir protégé. D'autant plus que ça ne marche pas toujours. Loin de là.

J'étais allongé sur mon lit, les yeux fixés sur le plafond. J'aurais voulu qu'il s'ouvre en grand, qu'il m'aspire dans le noir absolu et qu'il me laisse derrière la citerne. J'avais mon portable à la main. En mode vibreur pour ne pas réveiller les autres.

Il s'est mis à trembloter. Je l'ai levé au-dessus de ma tête. Sur l'écran vidéo, Œil-de-verre me regardait de toute sa hauteur. Il a murmuré :

— Dans dix minutes, et il a ouvert sa main deux fois en écartant les doigts.

J'ai hoché la tête et je suis descendu pour aller chercher l'argent.

En passant devant la porte d'entrée, j'ai entendu des voix dehors. Ça devait être lui. Et apparemment, il n'était pas venu seul. Ils avaient même l'air assez nombreux. Peut-être qu'il avait rappliqué avec toute la bande. J'en ai entendu un qui disait :

— Appuie sur la sonnette.

J'ai eu peur qu'ils réveillent papa. J'ai eu peur tout court.

J'ai ouvert la porte. Ce n'était pas Œil-de-verre. C'était un homme avec trois petites filles. Je n'ai même pas eu le temps de lui demander qui il était.

— Regarde ces pauvres petites, qu'il m'a dit d'emblée, c'est mes filles, mes petites filles à moi, et le père Noël les a oubliées. Tu comprends ce que je veux dire ?

Non, pas vraiment. J'ai regardé par-dessus son épaule pour voir si Œil-de-verre était dans les parages, mais il faisait trop noir.

— Tu es notre dernier espoir. On est venu en bus, on n'a même pas pris de tickets de retour parce que ça ne servira à rien de rentrer chez nous si tu ne nous aides pas. Le propriétaire nous virera sur-le-champ. On te demande pas grand-chose, tu sais. Si tu pouvais juste nous dépanner…

Il a poussé ses trois filles en avant. Parmi elles j'ai reconnu Gemma. Elle a chuchoté :

— Désolée pour tout ça, mais Tricia Springer m'a dit que vous leur aviez filé trois billets de mille pour les chants de Noël. On est vraiment dans la dèche, tu sais. Ne le dis à personne.

— Qu'est-ce que vous voulez ? Je veux dire : combien ?

— Oh, merci fiston ! a dit son père. Je pense qu'avec deux ou trois cents, on pourrait déjà voir venir…

Le sac était derrière la porte. J'ai plongé la main dedans et je leur ai tendu une poignée de billets, tout en me demandant si Tricia en avait parlé à quelqu'un d'autre.

L'homme a crié :

— Oui ! en levant le poing comme un champion, après quoi il a fait demi-tour avec ses petites filles.

En passant, ils ont déclenché le projecteur halogène. Et c'est là que j'ai vu.

La rue pleine de monde. Des centaines de gens qui

se poussaient de tous les côtés pour s'engouffrer dans notre allée. Tous les yeux étaient braqués sur moi. Des yeux exigeants, implorants. Des centaines d'yeux. On aurait dit des millions.

Je me suis rappelé ce que saint Pierre m'avait dit à propos de notre adresse au dos des enveloppes. Il avait vu juste. Infaillible, comme toujours. La maison était carrément assiégée. Voulant croire à un rêve, j'ai refermé la porte un peu trop brutalement. Ça a réveillé papa. Il a crié d'une voix ensommeillée :

— À qui tu parles, Damian ?

— À personne. Je vérifiais juste un truc.

À ce moment-là, on a sonné à la porte. Je me suis figé. C'était sûrement lui. Œil-de-verre. Il fallait que je réponde. Les autres, c'était un rêve. Pendant que je réfléchissais, papa est descendu en marmonnant.

— Qui ça peut être à une heure pareille ?

— Laisse, j'y vais.

— Ne sois pas stupide.

Il a ouvert la porte et une femme en tailleur chic s'est ruée dans l'entrée en disant :

— Environ cinquante pour cent des couples ayant un enfant atteint de maladie chronique sont amenés à se séparer. Les maladies de longue durée sont chères et éprouvantes. Nous agissons dans le seul but de soutenir ces familles dans leur rude épreuve, de leur offrir un peu de répit et de leur faciliter la vie, ne serait-ce qu'en payant leurs frais de train ou d'hôtel pour la modique somme de…

– Bon sang mais… Vous avez vu l'heure ? C'est un domicile privé, ici. J'ai des enfants qui…

– Les enfants, parlons-en justement ! Avez-vous pensé aux enfants atteints de maladie chronique ? En soi, c'est déjà une chose bien pénible à supporter, mais le pire c'est que ce type de maladie conduit souvent à l'éclatement de la famille.

– Écoutez, ça a l'air passionnant mais revenez demain matin, d'accord ?

Papa a réussi à la pousser dehors, mais juste après, un grand type avec les cheveux dressés sur la tête s'est planté devant lui en brandissant un truc qui ressemblait à une échelle miniature.

– À vos yeux, ceci n'est sans doute qu'une minuscule échelle, mais pour un hérisson, c'est un objet vital. La mince frontière entre la vie et la mort.

En fait, c'était vraiment une échelle. Une mini-échelle pour permettre aux hérissons de sortir des grilles d'écoulement ou des canalisations, au cas où ils tomberaient dedans.

– Elles ne reviennent qu'à huit livres pièce, fabrication et installation comprises. Grâce à votre aide, nous pourrions sauver des centaines de hérissons.

– Mais pourquoi moi ? a dit papa.

– Allez ! Tout le monde est au courant. Donnez-nous-en une poignée. À titre de remerciement, je serai ravi de vous offrir ce charmant hérisson en céramique.

– Plus tard. On reparlera de ça demain. Maintenant, si vous voulez bien… Il y a des enfants ici…

Il m'a montré du doigt mais ça n'a servi à rien. Les autres ont commencé à hurler en agitant des brochures ou des photos. La lampe halogène n'arrêtait pas de s'éteindre et de se rallumer, on se serait cru pendant un orage. J'avais l'impression que toute la population de la planète cherchait à entrer chez nous.

— Regardez, c'est le même âne, seulement trois mois après qu'on l'a recueilli !

— Pourquoi adhérer à l'Association des amis de Waterloo, me direz-vous ?

— Je sais très bien que les problèmes intestinaux n'ont rien de très sexy mais…

— … et si vous inscrivez ce don sur votre feuille d'impôt, vous bénéficierez d'une réduction de trente pour cent de la somme versée. Je peux vous délivrer un reçu immédiatement.

— Et les cours de yoga pour les prisonniers ?…

Pendant que papa leur criait dessus, j'ai pris discrètement le sac de billets et j'ai décroché mon nouveau duffel-coat rouge. Ensuite je me suis glissé dans le salon. Il y avait quelqu'un qui tapait au carreau de la fenêtre, tout en exhibant la photo d'une femme avec un foulard.

— Y veulent la renvoyer chez elle. Y disent que j'peux faire appel mais sans argent c'est pas possible ! Elle a plus personne dans son pays. Rien. Sont tous morts.

Il n'avait pas encore terminé qu'un autre est venu le déloger pour se mettre à cogner à la fenêtre à son tour. J'ai cru que la maison allait s'écrouler sous le poids de toutes ces demandes. Ils avaient tous l'air désespéré et en colère. J'ai entendu papa hurler :

— Anthony, ferme la porte ! comme s'il s'attendait à les voir tous débarquer en trombe pour prendre l'argent.

Je voyais bien qu'il avait peur, comme avec Terry IT. J'ai pris ma décision.

J'ai ouvert la porte de service. De ce côté-là, il n'y avait pas un chat. Au fond du jardin, j'ai jeté le sac par-dessus la barrière avant de l'escalader. Je les entendais encore crier. Je les ai entendus jusqu'à la voie ferrée. Arrivé devant les buissons de houx, mon téléphone a vibré. Sur l'écran vidéo, Œil-de-verre me regardait en grimaçant.

— Où t'es, petit morveux ? Qu'est-ce qui se passe, bon Dieu !

J'ai lâché le téléphone. Il a continué à hurler. Par terre, l'écran luisait comme une petite flaque d'eau bruyante. Je me suis éloigné. En me retournant vers la rue Cromarty, j'ai aperçu une lumière bleutée qui clignotait et j'ai compris que la police était arrivée.

Après coup, Anthony m'a raconté ce qui s'était passé. Si la police avait débarqué en masse, c'est à cause des voisins qui se plaignaient du bruit. Après avoir mis tout le monde dehors, les flics ont demandé à papa pourquoi tous ces gens le croyaient riche à millions.

– Je ne comprends pas, quelqu'un a dû raconter des choses sur nous, a lâché papa.

– Des mensonges, je suppose ?

– Évidemment.

Sur ce, l'agent de police du quartier s'est pointé. Il a tout de suite repéré l'écran plasma et le lave-vaisselle.

– Alors comme ça, le Seigneur, dans son infinie bonté, vous a apporté un peu de réconfort, d'encouragement et tout le reste, hein ?

– Pardon ? a dit papa.

– Ça ne vous embête pas que je fasse un tour ? a enchaîné le flic.

Et il est monté au premier. Comme il ne voyait le sac nulle part, papa a sifflé entre ses dents :

– Anthony, où est l'argent ? Où est-il bon sang ?

C'est mon frère qui a remarqué que mon manteau n'était pas là non plus. Mais il n'a rien dit. Il savait où j'étais allé. Il a discrètement ouvert la porte de service. Et là, dans la cour : Œil-de-verre.

Il s'est penché sur Anthony et lui a craché :

– C'est toi le plus futé des deux, hein ? Tu m'as bien roulé, l'autre jour. Cette fois, essaie pas de jouer au plus malin avec moi sinon je te noie, compris ?

Anthony a reculé pour le laisser entrer.

– Où il est ?

Il lui a dit qu'il était au premier. Œil-de-verre lui a donné une bourrade pour le faire avancer et il l'a suivi. La première chose qu'il a vue, et ça avant même d'entrer dans la chambre, c'était les murs entièrement tapissés de livres sterling. Signalons au passage que l'argent absorbe très mal la colle. Ça faisait des bulles partout. On aurait dit que les billets rampaient sur les murs. Œil-de-verre a fait trois pas en avant pour voir ça de plus près, comme s'il n'arrivait pas à y croire. Il a touché le mur du bout des doigts. C'est seulement à ce moment-là qu'il a réalisé qu'il y avait déjà quelqu'un dans la pièce.

— Savez-vous que soixante-dix pour cent des billets de banque britanniques contiennent des traces de cocaïne ? a dit le policier du quartier. Et environ quarante pour cent contiennent des traces de poudre. De la poudre à fusil, j'entends. Il y en a sûrement sur ceux-là. Suffit de le savoir. Le problème, c'est que ça ne se sait pas. Ah, ces billets ! Il y a des gens qui se sont tués à la tâche pour eux, d'autres qui les ont volés, gaspillés, ou qui ont passé leur vie à les attendre. Et vous croyez que ça leur fait quelque chose, à tous ces billets ? Non. Absolument rien. Bon. Qui êtes-vous ?

Œil-de-verre a tourné la tête de côté pour le regarder de son bon œil.

— Comment ça, qui je suis ? Et vous, vous êtes qui d'abord ?

— La police, a répondu l'agent du quartier.

19

À présent j'étais tout près de la voie ferrée. Un train est passé dans une énorme bourrasque de diesel et de bruit qui a étouffé les cris de la rue et déclenché une tempête dans mes cheveux. La lune elle-même, grosse, ronde et blanche, a paru trembler sur son passage. J'avais treize minutes avant le prochain train. Je me suis mis au milieu de la voie. Les rails étaient d'un bleu luisant. On aurait dit une longue échelle métallique qui menait droit à la lune. Et la lune ressemblait à l'entrée d'un tunnel de lumière.

J'ai renversé le sac et je l'ai vidé sur la voie. J'avais emporté les allumettes de la cuisine. J'en ai craqué une mais elle s'est éteinte tout de suite. Alors j'ai pris un billet de dix euros entre mes dents et je l'ai enflammé à l'aide d'une autre allumette. Il a pris feu immédiatement. Je l'ai lâché sur le tas. Je pensais qu'il allait s'éteindre au bout d'une seconde, mais un deuxième billet a pris feu, et puis autre, et encore un. Les billets se sont mis à flamber par dizaines. En brûlant, ils s'élevaient dans l'air, animés par leur propre chaleur. Bientôt ils se sont mis à danser tout autour de moi, comme des confettis de feu. Moi je me suis mis à rire. Une nuée de bengalis zébrés sortis je ne sais d'où se sont mis à voleter comme des fous au milieu d'eux. Leurs battements d'ailes ont attisé le feu comme un soufflet et d'autres billets ont brusquement quitté le sol pour s'élever dans les airs, comme des petits avions en flamme. J'ai écarté les bras et j'ai tourné sur moi-même pendant que les flammes tourbillonnaient de plus en plus haut.

C'est quand je me suis arrêté que je l'ai vue. Elle était assise et ça m'a étonné. De toute évidence, elle devait m'observer depuis un moment.

J'ai dit :

— Je sais que tu n'es qu'un rêve mais tant pis. Je suis content de te voir, même en rêve.

Elle a souri. Et puis elle a regardé le feu. Une lueur rosée s'est répandue sur ses joues. Sa peau était éclatante. Parfaite. Elle ne portait pas de fond de teint ni de crème teintée hydratante. Elle avait simplement une plus belle peau que les autres mères.

J'ai dit :

— J'ai voulu bien faire mais l'argent ne fait qu'aggraver les choses.

Elle s'est levée. J'ai cru qu'elle allait s'en aller alors j'ai crié :

— Dis-moi quelque chose !

Et j'ai ajouté en baissant la voix :

– S'il te plaît.

Elle a regardé sa montre.

– O.K. Mais juste une minute, alors. Écoute-moi bien. Après tout, je suis ta mère et je suis morte, donc je sais de quoi je parle. D'accord ?

Je n'allais pas dire non, évidemment.

– D'abord il faut que tu utilises un après-shampooing. Ton père ne pense pas à ce genre de chose mais c'est essentiel, crois-moi. Tout comme l'hygiène dentaire. Ça ne sert à rien de dire tes prières le soir si tu oublies de te brosser les dents ensuite. Si jamais tes gencives s'infectent, tu verras tout en noir et tu perdras ta joie de vivre. Au purgatoire, on ne peut pas bouger tellement il y a de gens dans ce cas. Alors que c'est si facile à éviter. Maintenant, passons à Anthony. Il a l'air d'avoir pris la chose mieux que toi, mais ce n'est pas vrai. Il a bon cœur. Seulement il ne l'a pas encore trouvé. Il va avoir besoin de toi. Sois gentil avec lui. En ce qui me concerne, il ne faut surtout pas t'inquiéter. Tu t'es fait du souci pour moi, n'est-ce pas ?

J'ai fait signe que oui.

– Eh bien tu as tort. Là où je suis, c'est très intéressant. On nous donne des tas de choses à faire.

– Et papa ?

– Il faut que tu sois gentil avec lui aussi, bien entendu. C'est ton père.

– Je voulais dire… tu ne pourrais pas lui parler ?

– Pour lui dire quoi ?

Je ne savais pas trop.

– De toute façon, il ne peut pas me voir.

– Pourquoi ?

Mais je connaissais déjà la réponse.

Je me suis tourné vers la maison.

– C'est elle, hein ? Ton père et elle. Écoute, Damian. Tu as déjà compris que l'argent c'est très compliqué. Eh bien dis-toi que les gens le sont encore plus. Tout n'est pas une affaire de bien ou de mal. C'est plus compliqué. La seule chose à savoir, c'est qu'on trouve généralement assez de bonté et de bonheur sur terre pour avoir envie de continuer. Il suffit juste d'y croire un peu. Si tu fais confiance aux autres, tu les rendras plus forts. Et toi… tu as déjà largement de quoi t'occuper avec vous trois. Voilà pourquoi je compte sur toi.

J'ai dit :

– Ce n'est pas seulement que je me faisais du souci pour toi. Tu me manques.

Elle a répondu :

– Ça, c'est permis.

– Anthony prétend que tu n'es pas une sainte.

– Tu sais, les critères de sélection sont très stricts. Il ne s'agit pas seulement d'être bon et tout et tout. Il faut accomplir un vrai miracle.

– Ah.

– Mais ça y est, j'y suis arrivée. Sans problème.

– Ah oui ? Et c'était quoi, ton miracle ?

– Tu ne devines pas ?

Elle m'a contemplé de haut en bas, et puis elle a dit très doucement :

– Toi.

J'ai entendu Anthony qui m'appelait de loin. Elle a regardé sa montre.

– Une heure zéro quatre. Écarte-toi des rails.

Le train suivant arrivait. Je me suis éloigné à reculons et elle aussi. Chacun d'un côté de la voie ferrée. Le train est passé entre nous à toute allure. J'étais sûr qu'elle ne serait plus là quand tous les wagons auraient fini de défiler. Mais si. Elle était là. J'ai souri.

La voix d'Anthony s'était rapprochée. J'ai crié :

– J'arrive ! et j'ai commencé à m'en aller.

Elle a fait :

– Hé !

Je me suis retourné.

– Tu ne vas pas partir sans me dire au revoir ?

J'ai traversé la voie en courant et je me suis jeté dans ses bras. Elle sentait la crème de jour Clinique et la pluie. Elle était chaude. Du moins c'est ce qui m'a semblé. C'était peut-être à cause de la chaleur de l'argent qui brûlait encore. Mais tout à coup, j'ai senti son alliance s'accrocher dans mes cheveux. Alors j'ai su que c'était un câlin pour de vrai. Et tout ce qui m'avait éloigné d'elle m'a paru un rêve. Elle m'a murmuré :

– Sois gentil avec lui.

Et puis elle est partie.

– Qu'est-ce que t'as fait ? m'a demandé Anthony.

Il avait sûrement deviné. Je n'ai rien dit. J'ai marché vers la maison et il m'a suivi. Sans le regarder, je lui ai demandé :

— Tu l'as vue ?

Il n'a pas dit non, mais :

— Qu'est-ce qu'elle t'a dit ?

Je me suis arrêté et je me suis tourné face à lui.

— Elle était contente de nous. Elle m'a dit que tout irait bien.

On s'est remis en route.

— Damian, m'a dit Anthony, t'es pas taré, tu sais.

— Oui, je sais… Mais toi tu l'es !

J'ai éclaté de rire et je suis parti en courant.

— Attends, tu vas voir !

Il m'a couru après. On est rentré à cent à l'heure dans la porte de la cuisine. Papa a levé les yeux, l'air éberlué, comme si une comète venait d'entrer par la fenêtre.

— Où étiez-vous passés, bon sang ?

Dorothy était là et les policiers aussi.

— Nous allions justement prendre une tasse de thé, a dit l'agent du quartier.

— Il a tout brûlé.

— Quoi ?

— Damian a brûlé l'argent.

Le policier m'a regardé droit dans les yeux en disant :

— Alors il n'y a pas de mal. De toute manière, c'est ce que le gouvernement voulait faire dès le départ. Rapport à la masse monétaire.

Papa est allé dans la chambre de devant et a ouvert la fenêtre. Les voix de la rue se sont déversées à flots dans la pièce. Il a crié :

– Écoutez tous !

Et les voix se sont tues.

– Mes fils… enfin l'un des deux… a… près de la voie ferrée… a brûlé l'argent. Tout l'argent.

Il y a eu un grand silence. On aurait dit qu'il n'y avait plus personne. Et puis une voix – une voix d'homme âgé – a lancé :

– Quand vous dites brûlé c'est… à quel degré ?

– Hein ?

– Parce que si on peut encore voir les numéros de série, il paraît que la banque vous rembourse.

Il y a encore eu deux secondes de silence et puis tout à coup, les voix se sont soulevées comme une énorme vague. Un vrai raz de marée. Ça criait, ça hurlait, ça se poussait, ça se bousculait. D'un seul mouvement, la foule s'est ruée vers la voie ferrée.

La police a fait pareil, histoire d'évacuer tous ces gens qui empiétaient sur un terrain strictement réservé à la société des chemins de fer.

Ce qui fait qu'on est resté seuls, papa, Anthony, moi et Dorothy. Elle a enfilé son manteau en disant :

– Bon, eh bien… on se sera quand même bien amusé, non ?

– Écoute, si tu veux garder la voiture…, a dit papa.

– Non, non. J'adore la mienne. Mais merci quand même.

Elle l'a embrassé sur la joue, m'a ébouriffé les cheveux et a failli faire la même chose à Anthony, mais elle s'est retenue juste à temps. Et puis elle est partie.

On est resté là, sans rien dire. Je m'attendais à entendre son moteur démarrer. Mais non. Au lieu de ça, c'est la sonnette qui s'est fait entendre. C'était encore elle.

— Écoutez… ce n'est pas facile à dire mais en fait…

Elle a mis la main dans la poche de son manteau.

— J'en avais mis un peu de côté pour moi. Mais ça vous appartient.

Et elle a posé un gros paquet d'argent sur la table. Papa a d'abord eu l'air choqué, ensuite content.

— En tout, ça fait six mille, elle a dit.

Papa est allé chercher la boîte à gâteaux sur l'étagère du haut. Il l'a ouverte et en a tiré un autre paquet. Il l'a posé à côté de celui de Dorothy, qui a éclaté de rire.

— Escroc, va !

— Ce sont les dollars. Je ne sais pas pourquoi mais ça m'a paru différent. Il doit y en avoir pour dix mille.

— Dix mille ! Encore pire que moi ! On peut même dire deux fois pire !

Anthony a fouillé dans la poche de sa robe de chambre. Il en a sorti une boule de billets de la taille d'une orange Jaffa.

— C'était juste pour le plaisir de l'avoir sur moi. C'est pas pour l'argent. Disons que c'était comme une balle antistress.

— Combien ?

— Quatre mille trois cent cinquante-cinq.

Ils l'ont regardé avec des yeux ronds. Anthony a haussé les épaules.

— Ouais, je me suis amusé à compter.

Là-dessus, ils se sont tous les trois tournés vers moi. J'ai dit :

— Inutile de me regarder comme ça, je n'ai rien du tout.

Ils ont continué à me fixer.

— J'ai rien, vous m'entendez !

— Tu aurais quand même pu en garder quelques-uns, petit couillon.

— Eh bien non, tu vois.

20

Si mon frère vous avait raconté cette histoire, nul doute que la fin aurait été d'une tristesse pas possible. Il aurait probablement écrit : « C'est ainsi qu'ils ratèrent une occasion unique de faire un investissement fabuleux et ils le regrettèrent toute leur vie. »

De fait, il ne se passait pas un jour sans qu'Anthony le regrette amèrement. Chaque fois qu'on passait devant la vitrine d'un magasin ou qu'on voyait une publicité, il secouait la tête d'un air triste en pensant à tout ce qu'on aurait pu avoir.

Parce qu'en définitive, voilà ce qui s'est réellement passé. Étant donné que j'étais le seul membre parfaitement honnête de la famille, papa a dit que c'était à moi de décider de ce qu'on allait faire. C'est ainsi qu'avec nos 20 345 nouveaux euros, on a fait creuser (à la main) quatorze puits dans le Nord du Nigeria.

Parfois, l'argent vous file entre les doigts comme l'eau à la sortie d'un tuyau d'arrosage. Mais quand cette eau tombe sur une terre aride et brûlante, elle se transforme en fruits, en légumes et en fleurs à des kilomètres à la ronde. Et toutes les graines et les racines qui dormaient dans la terre comme des morts renaissent brusquement à la vie.